The Open University

Education and
Language Studies:
level 1

Unidad 1   Primeras impresiones

Unidad 2   Espacios públicos

P
O
R
T
A
L
E
S

1

This publication forms part of the Open University course L194/LZX194 *Portales: beginners' Spanish*. Details of this and other Open University courses can be obtained from the Course Information and Advice Centre, PO Box 724, The Open University, Milton Keynes MK7 6ZS, United Kingdom: tel. +44 (0)1908 653231, e-mail general-enquiries@open.ac.uk

Alternatively, you may visit the Open University website at http://www.open.ac.uk where you can learn more about the wide range of courses and packs offered at all levels by The Open University.

To purchase a selection of Open University materials visit the webshop at www.ouw.co.uk, or contact Open University Worldwide, Michael Young Building, Walton Hall, Milton Keynes MK7 6AA, United Kingdom for a brochure, tel. +44 (0)1908 858785; fax +44 (0)1908 858787; e-mail ouwenq@open.ac.uk

The Open University
Walton Hall, Milton Keynes
MK7 6AA

First published 2003

Edited, designed and typeset by The Open University.

Printed and bound in the United Kingdom by the Alden Group, Oxford.

ISBN 0 7492 6530 2

1.1

Contents

Course team list

Course team

Inma Álvarez Puente (academic)

Michael Britton (editor)

Concha Furnborough (academic)

María Iturri Franco (course chair/academic)

Martha Lucía Quintero Gamboa (secretary)

Enilce Northcote-Rojas (secretary)

Cristina Ros i Solé (course chair/academic)

Fernando Rosell Aguilar (academic)

Malihe Sanatian (course manager)

Sean Scrivener (editor)

Mike Truman (academic)

Olwyn Williams (administrator)

Production team

Ann Carter (print buying controller)

Jonathan Davies (design group co-ordinator)

Jane Docwra (production administrator)

Rachel Fryer (production administrator)

Janis Gilbert (graphic artist)

Pam Higgins (designer)

Tara Marshall (print buying co-ordinator)

Deana Plummer (picture researcher)

Natalia Wilson (production administrator)

BBC production

William Moult (audio producer)

Consultant authors

Manuel Frutos Pérez (Book 1)

Elvira Sancho Insenser (Book 1)

Rosa Calbet Bonet

Concha Furnborough

Peter Furnborough

Consuelo Rivera Fuentes

Gloria Gutiérrez Almarza (*Espejo cultural*)

Alicia Peña Calvo (*Espejo cultural*)

Contributors

Lina Adinolfi

Anna Comas-Quinn

Sue Hewer

Gabriela Larson Briceño

Raquel Mardomingo Rodríguez

Carol Styles Carvajal

Roger Zanni (cartoons)

Critical readers

Joan-Tomàs Pujolà

Gloria Gutiérrez Almarza

External assessor

Salvador Estébanez Eraso, Instituto Cervantes.

Special thanks

The course team would like to thank everyone who contributed to *Portales*. Special thanks go to Uwe Baumann, Hélène Mulphin and Christine Pleines, and to all those who took part in the audio recordings and music.

1

Primeras impresiones

In the first unit of *Portales* you will learn some basic structures and phrases to get by in Spanish – how to greet and introduce yourself to others, give personal information and talk about where you live and what you do. You will also get a feel for different aspects of Spanish and Latin American culture, starting with the Hispanic *plaza*, a typical meeting place for people of all ages, and a *barrio* (neighbourhood) of Valencia, Spain. Later you will visit a museum of pre-Columbian art and get a glimpse of TV culture.

From the start you will listen to native speakers from all over the Hispanic world and take part in real dialogues as well as more structured speaking exercises. Vocabulary exercises will enable you to build your word power and read simple texts. By the end of the unit you will feel ready to make your first contact with Spanish-speaking people – and form your 'first impressions' of the peoples and their way of life.

OVERVIEW: PRIMERAS IMPRESIONES

Session	Language points	Vocabulary
1 Las plazas	• Gender and number of nouns • The definite article (*el, la, los, las*) • Numbers 1 to 10 • A few words and phrases to get by on	Describing a square: *la fuente, la iglesia, los bancos*, etc.
2 El barrio del Carme	• Introducing yourself to others • Greetings and farewells • The verbs *ser* and *llamarse* • The Spanish alphabet	The neighbourhood: *el barrio, el vecino*. Greetings: *Hola, Hasta luego*, etc.
3 Este es Pluto, mi perro	• Introducing people in informal and formal situations • Responding to introductions	Nouns for identifying people: *el amigo, la gerente, el marido, la mujer*, etc.
4 De Valparaíso a Valencia	• Talking about jobs and professions • Gender of nouns (for professions) • Plural of nouns	Names of professions and occupations: *la estudiante, el escritor, el camarero*, etc.
5 Nacionalidades y lenguas indígenas	• Asking about people's nationality or place of origin • Adjectives of nationality, region and language	Names of countries and nationalities: *Chile–chileno, España–español*, etc.
6 Un museo muy peculiar	• Asking and giving personal information • Talking about your family • The verb *tener* • Numbers 10 to 100	Family relationships: *casado, soltero, hijos*, etc.
7 ¿Vives en la Plaza de la Revolución?	• Asking and answering where you live	Street names and addresses: *la calle, la avenida, la esquina*, etc.
8 Concursos gigantes	• More on professions • The indefinite article (*un, una*)	Some vocabulary related to popular culture: *el concurso, el informativo, la película*, etc.
9 Repaso	Revision	
10 ¡A prueba!	Test yourself	

Cultural information	Language learning tips
The Hispanic square; the history of Latin American squares.	Pronunciation of vowels.
Spanish forenames.	Spelling.
	Pronunciation of *j* and *g*. Speaking strategies: recording on a blank tape.
Famous Spanish and Latin American personalities.	Getting to know your dictionary.
Indigenous and regional languages.	Distinguishing between the sound of *r* and *rr*.
A glimpse of pre-Columbian cultures.	
Origins of street names; some famous houses and addresses.	Reading strategies: using previous knowledge.
TV gameshows in Latin America.	

Sesión 1
Las plazas

In this session you are going to get to know a typical feature of Spanish and Latin American towns and cities, the square, a microcosm of Hispanic society. You will experience life in a *plaza*, and will find out some background information about *plazas* in Latin America.

Key learning points

- Gender and number of nouns
- The definite article (*el, la, los, las*)
- Numbers 1 to 10
- A few words and phrases to get by on

Actividad 1.1 🎧

In this activity you will look at life in a *plaza* (public square), and learn the words for what you may find there.

1 Here are two photographs of *plazas*. Look at them closely and tick the three things from the list opposite that appear in the pictures.

Observe y marque con una cruz.

> You will notice from the instructions above that in Spanish crosses are generally used where English uses ticks. Choose whichever you would rather do.

Zócalo (= plaza), Mérida, México

las palomas (*pigeons*) ❏

el coche (*car*) ❏

la bicicleta (*bicycle*) ❏

el móvil (*mobile phone*) ❏

los niños (*children*) ❏

la fuente (*fountain*) ❏

la iglesia (*church*) ❏

Plaza Cataluña, Barcelona, España

2   Listen to *Pista 2* of CD1 and put the items in the list above into the order that you hear them.

Escuche y ordene.

Ejemplo

1   la fuente

THE HISTORY OF THE LATIN AMERICAN *PLAZA*

Plaza de Armas, Lima, Perú

When the Spaniards arrived in the Americas and founded new cities, they drew largely on their European experience to build the new colonial settlements. In Spain, the slow-growing medieval city had resulted in the dispersal of major urban institutions like *el cabildo* (the town council), *la iglesia* (the church) and *el mercado* (the market), but in the colonies these all clustered around the central *plaza*. Because of the *plaza*'s defensive functions on the frontier, settlers often called it *La Plaza de Armas*, as, for example, in Santiago de Chile, Lima and Cuzco, Peru.

(Adapted from *Lonely Planet: Santiago de Chile,* p. 26, Lonely Planet Publications Pty Ltd., October, 2000)

Actividad 1.2

THE GENDER OF NOUNS

Spanish nouns can be either masculine or feminine. The easiest way to identify their gender is by looking at the definite article ('the'), which is *la* for the feminine form and *el* for the masculine.

Masculine	Feminine
el niño (the boy)	**la** niña (the girl)
el banco (the bench)	**la** paloma (the pigeon)

The difference between feminine and masculine nouns is often shown in the vowel at the end.

Feminine nouns end in **-a**: *la niña, la paloma.*

Masculine nouns end in **-o**: *el niño, el banco.*

However, there are words that don't follow this pattern and end in a different letter, e.g. *el hombre* ('man'), *la mujer* ('woman'), *el árbol* ('tree'); that is why you should rely mostly on the definite article, *el* or *la* to tell you the gender of a word.

Look at the following words and classify them into masculine or feminine by placing them in the correct column below.

Ponga las palabras en la columna correspondiente.

la fuente • el niño • la plaza • el banco • la paloma • la iglesia • el árbol • la bicicleta • el coche • el móvil

Masculino	Femenino
el niño	la fuente
...	...

Actividad 1.3

In this activity you are going to learn and practise the plural of the definite article (*los, las*).

Write in the singular or plural article for the following things you are likely to find in a typical square.

Escriba el artículo.

THE DEFINITE ARTICLE

	Singular	Plural
Masculine	**el** árbol	**los** árboles
Feminine	**la** fuente	**las** fuentes

Actividad 1.4 🎧

Something you can often do in squares is buy a lottery ticket.

1 First practise the following numbers in Spanish. Listen to *Pista 3* and repeat the numbers after Juan as he works out in the gym.

Escuche y repita.

0	1	2	3	4	5	6	7	8	9	10
cero	uno	dos	tres	cuatro	cinco	seis	siete	ocho	nueve	diez

2 Write down your telephone number and pronounce each of the numbers one by one in Spanish; these will be your lottery ticket numbers.

Escriba y lea.

Ejemplo

8 964 7432

Ocho, nueve, seis, cuatro, siete, cuatro, tres, dos.

3 Now listen to *Pista 4*, which gives the winning numbers, and check whether your numbers were among them. (To double-check the numbers in the recording look in the transcripts (*Transcripciones*) under *Pista 4*.)

Escuche.

Some Spanish lotteries (*loterías*) are run by ONCE (*Organización Nacional de Ciegos de España*), the national organization for blind people.

Actividad 1.5 🎧

You will now practise some common words and expressions in Spanish.

1 Here are some everyday expressions. Listen to *Pista 5* and put them in the order you hear them in.

Escuche y ordene.

¡Oiga! (Excuse me!)

Gracias (Thanks)

¡Perdón! (Sorry)

Por favor (Please)

¡Hola, Ana! (Hello, Ana)

2   Listen to *Pista 6* and repeat the words, paying particular attention to the vowel sounds.

   Escuche y repita.

3   Listen to *Pista 5* again and repeat.

   Escuche y repita otra vez.

Léxico básico

This section contains the most important words in each session that you should add to your vocabulary.

árbol (el)	*tree*	móvil (el)	*mobile (phone)*
banco (el)	*bench*	niña (la)	*girl*
bicicleta (la)	*bicycle*	niño (el)	*boy*
coche (el)	*car*	niños (los)	*children*
fuente (la)	*fountain*	paloma (la)	*pigeon*
globo (el)	*balloon*	plaza (la)	*square*
iglesia (la)	*church*	semáforo (el)	*traffic light(s)*
monumento (el)	*monument*	vino (el)	*wine*

Sesión 2
El barrio del Carme

In this session you are going to meet some people from the Barrio del Carme, a neighbourhood in the old part of Valencia, Spain.

Palace courtyard in the *barrio del Carme*, Valencia, Spain

Key learning points

- Introducing yourself to others
- Greetings and farewells
- The verbs *ser* and *llamarse*
- The Spanish alphabet

Actividad 2.1

yo =
I

1 Listen to *Pista 7*, where different people from *El Carme* greet each other, introduce themselves and say goodbye. Number the four groups of speech bubbles below 1–4 in the order that you hear them. Check your answers in the transcript.

Escuche y ordene.

¡Hola! ¿Cómo está? Soy Liliana.

Soy María.

Y yo Fernando.

¡Hola! Me llamo Cristina.

¡Hasta luego! ¡Adiós!

Chao.

¡Chaíto!

INTRODUCING YOURSELF USING *SER*

A very common way of saying your name is using the verb *ser* ('to be').
Verbs in Spanish change according to what person they refer to:

Soy Mónica. (**I'm** Mónica.)

¿**Eres** Mónica? (**Are you** Mónica?)

¿**Es usted** la señora Pérez?
(**Are you** Mrs Pérez? (formal))

usted
*you (singular,
formal)*

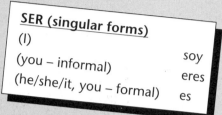

SER (singular forms)

(I)   soy
(you – informal)   eres
(he/she/it, you – formal)   es

2 Now you will practise phrases for greetings and farewells. Listen to *Pista 8*
   and answer using the same expressions.

   Escuche y participe.

You will come across *Español de bolsillo* (= pocket Spanish) 'phrasebook'
extracts like this throughout this course. They contain
useful and important phrases, with
their translations, which
you can listen to.

Español de bolsillo 🎧 (Pista 31)
Me llamo Teresa.   My name is Teresa.
¡Hola! Soy María.   Hello, I'm María.
¡Buenos días!   Good morning.
¡Buenas tardes!   Good afternoon.
¡Buenas noches!   Good evening.
¿Qué tal?   How are you?
¿Cómo está?   How are you (formal)?
¡Hasta luego!   See you later!
¡Chao!, ¡Chaíto! (LAm)   Bye!

The typical reply
to the question
'How are you?'
(¿*Cómo estás?*/
¿*Cómo está?* or
¿*Qué tal?*) is:
Muy bien, gracias.
(Very well, thank
you).

Actividad 2.2 🎧

1   You are going to listen to the names of some people living in Valencia. Listen to *Pista 9*, in which people are being asked their names, and cross off the names you hear from the list below. The first has been done for you.

Escuche y tache.

Cristina • Milagros • Guadalupe • Jaime • Amparo • Guillem • Laura • Rosario • Estefanía • Ana • José Segarra • Fernando • ~~Nuria~~

vecinos (los)
*neighbours,
residents*

Some *vecinos* of the *barrio del Carme*

2   Now listen to *Pista 9* again and focus on the question being asked. Is the informal or formal form of address used? Tick the correct boxes in the table below.

Escuche y marque con una cruz.

	INFORMAL	FORMAL
	¿Cómo te llamas? *What's your name?*	**¿Cómo se llama (usted)?** *What's your name?*
Nuria		
Laura		
Estefanía		
Cristina		
José (Segarra)		
Guillem		

The verb *llamarse* is a different type of verb that has some 'particles' in front of it: *me*, *te*, *se* (= myself, yourself, himself/herself/itself), which change according to whom you are talking to; so in this kind of verb both the ending and the extra particle change: **me** llam**o** (**I** am called); **te** llam**as** (**you** are called); ¿cómo **se** llam**a** usted? (what's your name?) (formal)).

LLAMARSE (singular forms)	
(I)	me llamo
(you – informal)	te llamas
(he/she/it, you – formal)	se llama

Notice that the 3rd person singular form *se llama* is the same as the formal address *(usted) se llama*.

Actividad 2.3

Now you will learn how to spell your name.

COULD YOU SPELL THAT FOR ME, PLEASE?

When you don't understand how a name is written and you want the other person to spell it for you, you ask *¿Cómo se escribe?* (= How is it spelt?)

The Alphabet

A a	B be	C ce	D de
E e	F efe	G ge	H hache
I i	J jota	K ka	L ele
M eme	N ene	Ñ eñe	O o
P pe	Q cu	R erre	S ese
T te	U u	V uve	W uve doble
X equis	Y i griega	Z zeta	

There used to be a letter *ll*, but since spelling reforms of 1994 it no longer appears as a separate letter in dictionaries. There was also a letter '*ch*' (*che*) in Spanish, but it is now spelt as two separate letters, '*c*' and '*h*'; it sounds like 'ch' in 'church'.

1 Listen to the Spanish alphabet on *Pista 10* and repeat it.
   Escuche y repita.

2 Now listen to *Pista 11* where you will spell the following names: Ana, Carmen, Juan and Víctor.
   Escuche y deletree.

Actividad 2.4

Here are some snippets of conversation in which local people introduce themselves in different situations. Fill in the blanks with the correct form of *ser* or *llamarse*; the gap can only contain one word.

Complete los diálogos.

(a) Starting at a new school

> ¡Hola! Me _____ Rosa María.
> Y tú, ¿cómo te _____?

> Me _____ Ana.

tú
you (singular, informal)

(b) At a party

> Hola, ¿qué tal? Yo _____ José.
> Y tú, ¿ _____ Juan?

> No, me _____ Patricio.

(c) Meeting a client in an office

> ¡Buenos días! ¿Cómo se _____ usted?

> Me _____ Jaime Corpas Vilaseca.

> In this session you have come across *yo*, *tú* and *usted* (shown as margin vocabulary). In Spanish, these are only used for emphasis or to avoid ambiguity.

(*Todo Mafalda* p. 276, by Quino, Editorial Lumen, 1992)   A translation of the cartoon is given in the *Clave*.

Léxico básico

Adiós	*Goodbye*	Hasta luego	*See you (later), Bye*
barrio (el)	*neighbourhood*	Hola	*Hello*
Buenos días	*Good morning*	llamarse	*to be called*
Buenas tardes	*Good afternoon*	nombre (el)	*name*
Buenas noches	*Good evening*	ser	*to be*
Chao	*Bye*	vecino, -a (el, la)	*neighbour*
Chaíto (LAm)	*Bye*		

Sesión 3 Este es Pluto, mi perro

In this session you are going to meet people in different situations – at work, in a bar, etc. – and will practise introducing your colleagues, family and friends.

Key learning points

- Introducing people in informal and formal situations
- Responding to introductions

Actividad 3.1

INTRODUCING SOMEBODY INFORMALLY AND FORMALLY

In an informal/neutral context, such as with friends or family, you can introduce people using *Este/Esta es* ('This is…') followed by their first names:

> **Este es** Patricio.   (introducing a male)

> **Esta es** Consuelo.   (introducing a female)

Or you can just say the names as you motion to each person:

> Patricio … Consuelo.

In more formal situations you should use the phrase *le presento*, followed by the form of address *señor* or *señora* and the surname:

> **Le presento** a la señora Iturri.

> **Le presento** al señor Bustos.

This literally means 'I introduce (*presento*) Señora Iturri (*a la señora Iturri*) to you (*le*)', though at this stage it's best just to learn the expression as a formula.

These words can also be spelt Éste/Ésta.

1   Listen to *Pista 12* and decide which of the two dialogues is formal and which is informal. Tick the correct box accordingly.

Escuche y marque con una cruz.

bien
well

	Formal	Informal
Dialogue (a)	☐	☐
Dialogue (b)	☐	☐

2   Now read the transcript of the extract and underline the sentences where someone is introduced, focussing on the different formulae used.

Lea y subraye.

Look also at how *¿Qué tal?* is used here meaning 'How do you do?', as part of an introduction rather than asking after someone's health.

GIVING INFORMATION ABOUT THE PERSON YOU INTRODUCE

When you introduce somebody you often add what their connection with you is, whether it is personal or through work. For example, you might say:

Esta es Merche, una colega.   (This is Merche, a colleague.)

Este es Juan, mi jefe.   (This is Juan, my boss.)

You can use *un/una* ('a') or *mi* ('my'), as appropriate.

mi or un/una + noun		
Este / Esta es...	mi	marido *(husband)* mujer *(wife)* esposa *(wife)* pareja *(partner)* jefe/a *(boss)*
	mi un / una	amigo/a *(friend)* ayudante *(assistant)* colaborador/a *(collaborator)* gerente *(manager)* colega *(colleague)*

"Este es mi hijo".   "Y esta es mi mamá".

1   Look at the following sentences and fill in the gaps with either *mi* or *un/una* according to the meaning of the sentence.

Complete las frases.

(a) Esta es _____ amiga Mireia.

(b) Este es Juan, _____ marido.

THE INDEFINITE ARTICLE (a / an)	Singular
Masculine	un amigo
Feminine	una amiga

(c) Este es Patricio, _____ colega de Jaime.

(d) Esta es _____ jefa.

(e) Este es _____ ayudante Juan.

(f) Esta es _____ colaboradora del proyecto.

(g) Esta es _____ mujer.

> *de* means 'of': la jefa **de** Jaime   (Jaime's boss).
>
> *de* + *el* contracts to *del:* un amigo **del** gerente (a friend of the manager).

2   Now listen to *Pista 13* where you will practise the pronunciation of *g* and *j*. *Escuche y repita.*

> **PRONUNCIATION**
>
> The letter *j* has a harsh, throaty sound like in the Scottish 'loch'. The letter *g* has a softer sound, as in the word 'gateway'. However, when followed by *e* or *i* : *ge*rente, *gi*mnasio (gym), *g* is pronounced like *j*.

Actividad 3.3

In this activity you are going to introduce your colleagues in a formal situation. Read the following descriptions of them by the photo below and record yourself on your blank tape introducing them to a visitor. Remember to start the introductions using the phrase *le presento*.

Lea y grábese en su cinta.

> Every now and then we will suggest you use a blank tape of your own to record some phrases. This will be a useful way of storing spoken sentences which you can refer back to in order to monitor your improvement.

Ejemplo
Le presento a Julia Simpson, mi jefa.

David French,
an assistant

Mary Brown,
my secretary

Ann Holt,
a colleague

Julia Simpson,
my boss

Ruth Ross,
a contributor

Actividad 3.4 🎧 _____

In this activity you are going to learn how to reply to an introduction.

1 Listen to the example and four mini-dialogues in *Pista 14*. The first time, listen without responding and put a tick or a cross in the chart to show the response(s) you hear in each mini-dialogue. The example dialogue has been done for you. Note that some of the responses are formal and some informal.

Escuche y marque con una cruz.

> **Español de bolsillo** 🎧 *(Pista 32)*
> Le presento al señor Iturri.   *This is Mr. Iturri.*
> Mucho gusto. (formal)   *Pleased to meet you.*
> Encantado/a. (formal)   *Pleased to meet you.*
> Este es Roque, un amigo. (informal)   *This is Roque, a friend of mine.*
> ¡Hola! ¿Qué tal? (informal)   *Hi, how are you?*

	Ejemplo	Diálogo (a)	Diálogo (b)	Diálogo (c)	Diálogo (d)
Mucho gusto.					
Encantado/a.					
¡Hola!	✗				
¿Qué tal?	✗				

A male says *encantado*, a female, *encantada*. Adjectives in Spanish change their ending to match the gender of the noun they refer to.

2 Now listen to *Pista 14* again and respond to the introductions. The person(s) being introduced to you will speak first after the introduction has been made, then you greet them. There is no single way to respond but try to select a formal or informal response to correspond with the introduction.

Escuche y responda a las presentaciones.

Actividad 3.5 🎧 _____

In this activity you are going to practise introducing friends and relatives.

hermana (la)
sister

hermano (el)
brother

padre (el)
father

madre (la)
mother

1 Fill in the diagram with the names of people you know (relatives, friends, partner, etc.) and record yourself on your blank tape introducing them to another friend.

Complete el esquema y grábese en su cinta.

Ejemplo
Esta es Martina, mi hermana.

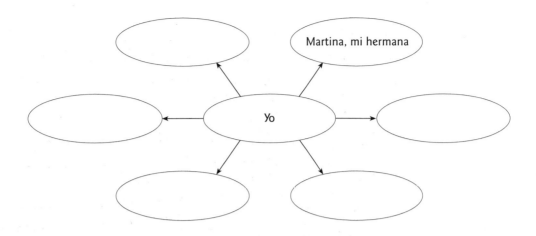

2 Listen to the model on *Pista 15* and see the accompanying diagram in the *Clave*.

Escuche el modelo en la Pista 15.

Léxico básico

amigo, -a (el, la)	*friend*		jefe, -a (el, la)	*boss*
ayudante (el/la)	*assistant*		madre (la)	*mother*
colaborador, -dora (el, la)	*collaborator, co-worker*		marido (el)	*husband*
			mujer (la)	*wife*
colega (el/la)	*colleague*		padre (el)	*father*
esposa (la)	*wife*		pareja (la)	*partner*
gerente (el/la)	*manager*		perro (el)	*dog*
hermana (la)	*sister*		señor (el)	*Mr.*
hermano (el)	*brother*		señora (la)	*Mrs.*

Sesión 4
De Valparaíso a Valencia

In this session you will get to know some personalities from the Spanish-speaking world by visiting the Playa de la Malvarrosa in Valencia, a long beachfront that has been the inspiration of many famous Valencian artists such as writer Vicente Blasco Ibáñez and painter Joaquín Sorolla.

Key learning points

- Talking about jobs and professions

- Gender of nouns (for professions)

- Plural of nouns

Joaquín Sorolla, *Niños en la playa*, c. 1900–1905

Actividad 4.1

español/a
Spanish

chileno/a
Chilean

estadounidense
American (from USA)

Here you are going to meet a fictional character, Patricio Bustos, an architect from Valparaíso, Chile, who has recently arrived in Valencia. He visits one of the famous seafood restaurants on the Playa de la Malvarrosa.

1 Patricio is looking at some pictures of famous people who have visited the restaurant. Read who they are, then see if you can find the Spanish words in there for:

(a) singer, (b) writer (female), (c) writer (male), (d) director (male), (e) director (female), (f) actor (female), (g) actor (male).

Isabel Allende

Isabel Allende, escritora chilena.

Icíar Bollaín, directora de cine española.

Pablo Neruda, escritor chileno.

Alejandro Amenábar, director de cine español.

Penélope Cruz, actriz española.

Víctor Jara, cantante chileno.

Gloria Estefán, cantante estadounidense.

Antonio Banderas, actor español.

2 Can you think of any other famous people from a Spanish-speaking country with these professions? Write down two or three examples, but don't worry if none come to mind!

Escriba nombres de personajes famosos.

GENDER OF PROFESSIONS OR OCCUPATIONS

Most professions change their ending according to whether they refer to a male or a female, e.g. *el profesor, la profesora* (teacher). Formerly, 'high status' professions did not have an equivalent feminine form, e.g. *médico* (doctor). However, following changes in society, it is now common to hear these professions in the feminine form, e.g. *la jueza* (judge), or else for two feminine forms to exist: *la médico, la médica.*

Some professions have special forms for the male and female: *el actor – la actriz.*

Feminine of professions

	Masculine	Feminine
Ending in *-o* → **Change to** *-a*	el arquitect**o**	la arquitect**a**
Ending in *-or, -ín* → **Add an** *-a*	el profes**or** el bailar**ín***	la profes**or-a** la bailar**in-a**
Ending in *-nte, -ista* → **No change**	el art**ista** el cant**ante**	la art**ista** la cant**ante**

* A written accent in Spanish denotes where the stress falls in a word when not in the usual place; you can learn the stress rules later.

bailarín (el)
dancer (male)
bailarina (la)
dancer (female)

3 Here are some professions in the masculine. Write down the feminine equivalents. Look up the words you don't know in the dictionary **after** doing the exercise.

Complete la tabla.

el pintor	la pintora	el escritor	
el secretario		el camarero	
el informático		el profesor	
el estudiante		el gerente	

Actividad 4.2

In this activity you are going to practise forming the plural of nouns.

1 Study the following table.

Estudie la tabla.

Plural of nouns	
Ending in vowel **Add** -*s*	la camarera → las camarera**s**
Ending in consonant **Add** -*es*	el escritor → los escritor**es**
Exception: ending in -*z* **Change to** -*ces*	la actriz → las actri**ces**

2 Patricio has found an office to rent near the Playa de la Malvarrosa.
Transform the words in this picture of his new office into the plural.

Cambie las palabras al plural.

Ejemplo
mesa → *mesas*

bolígrafo (*ballpoint pen*)

impresora (*printer*)

ordenador (*computer*)

ratón (*mouse*)

papel (*paper*)

silla (*chair*)

mesa (*desk*)

papelera (*waste-paper bin*)

Actividad 4.3 🎧

In this activity you will learn to ask and answer questions about who somebody is.

valenciano/a
Valencian

¿(Tú) sabes... ?
Do you know...?

Listen to *Pista 16,* where several people are being asked about well-known personalities from Valencia. Link the two columns below.

Escuche y enlace las columnas.

(a) Santiago Calatrava

(b) Blasco Ibáñez

(c) Joaquín Sorolla

(d) Raimón

(e) José Lladró

(i) escritor

(ii) empresario

(iii) arquitecto

(iv) cantante

(v) pintor

The word for 'she' is *ella* and 'he' is *él*, but, as mentioned previously, it is not necessary to include personal pronouns like these (such as *yo, tú, usted*) where there is no ambiguity in the meaning, e.g. *es valenciano* (**he**'s Valencian), *es una escritora* (**she**'s a writer).

En p o c a s **p a l a b r a s**

Dictionary skills: getting to know your dictionary

In this section you will learn how to make the most of your dictionary. There are many possible uses you can make of it. You will start with the most obvious one – looking up words you don't understand and finding examples of their usage.

Look up the following words and fill in the grid with the relevant information.

Word / phrase to look up	Translation(s)	Examples and related expressions	Other information
café	① coffee ② café (= 'cafeteria')	*un café con leche* a white coffee; *un café solo* a black coffee	*el* SUSTANTIVO [= masculine noun] (PL los cafés)
plaza			
¡Hasta luego!			

Vocabulary practice

Fill in the gaps with names of professions from the box. Remember to make the verb and noun agree in number and gender.

Rellene los espacios.

> gerente • camarero • actriz •
> arquitecto • pintor • ayudante

trabaja/trabajan
he works/they work

(a) En el bar *El Manolo* trabajan dos _____ .

(b) Santiago Calatrava es un famoso _____ valenciano.

empresa (la)
company

(c) La _____ de la empresa se llama Sánchez.

(d) Penélope Cruz es una _____ española.

cuadro (el)
painting

(e) El _____ del cuadro *Las Meninas* es Velázquez.

(f) El _____ del jefe trabaja mucho.

Léxico básico

actor (el), actriz (la)	*actor*
arquitecto, -a (el, la)	*architect*
bailarín, -rina (el, la)	*dancer*
camarero, -a (el, la)	*waiter, waitress*
cantante (el/la)	*singer*
director, -tora de cine (el, la)	*film director*
escritor, -tora (el, la)	*writer*
estudiante (el/la)	*student*
gerente (el/la)	*manager*
informático, -a (el, la)	*computer specialist / programmer*
médico, -a (el, la) *or* médico (el/la)	*doctor*
pintor, -tora (el, la)	*painter*
profesor, -sora (el, la)	*teacher*
secretario, -a (el, la)	*secretary*

Sesión 5
Nacionalidades y lenguas indígenas

In this session you are going to find out about the different countries where Spanish is spoken by looking at the geography of the American continent.

Key learning points

- Asking about someone's nationality or place of origin
- Adjectives of nationality, region and language

Mexican children, bilingual Nahuatl-Spanish speakers

Actividad 5.1

1   You are going to try to identify some of the Spanish-speaking countries of the American continent (not including the USA). Place the names of the countries in the box overleaf in the correct place on the map. The first one has been done for you.

país (el)
country

Ponga los nombres de los países en el lugar correspondiente.

México • Chile • Uruguay • República Dominicana •
Venezuela • Guatemala • Costa Rica • Perú

Spanish-speaking countries of Latin America

2   Listen to *Pista 17*. Pay attention to how the letter 'r' is pronounced within each place name. Can you differentiate between the stronger, trilled 'r', which sounds like 'rr' and the weaker 'r', which is a single flap of the tongue? Listen again and put the names of the different countries in the correct column below.

Escuche y clasifique.

'r'	'rr' sound
...	...

3   Now listen to *Pista 18,* where you will hear the full list of Spanish-speaking countries in Latin America, and repeat them.

Escuche y repita.

Actividad 5.2 🎧

In this activity you are going to find out where different people are from.

1   Listen to *Pista 19* and identify what countries the people interviewed come from. Try not to let yourself be distracted by or concerned about the words you do not understand.

Escuche e identifique.

SER (singular forms)	
(yo)	soy
(tú)	eres
(usted, él, ella)	es

(a) Adriana Larrañaga

(b) Alicia Carolina Tejada

(c) Carmen

(d) Carmen Rosa

ADJECTIVES OF NATIONALITY OR ORIGIN

Adjectives of nationality derive from the name of the country. So a person from *Chile* is *chileno* or *chilena*. Notice that the adjective does not have a capital letter, unlike nationality adjectives in English.

Most adjectives of nationality change their ending according to whether they refer to a masculine or a feminine noun, but those ending in *-ense* don't change, e.g. *costarric**ense**.*

Here are some of the most common endings.

-ano / -ana	-eño / -eña	-és / -esa	-án / -ana
peruano	brasileño	francés	alemán
colombiano	hondureño	inglés	catalán
italiano	panameño	irlandés	
boliviano	puertorriqueño	escocés	
dominicano		galés	

Note that when forming the adjective from the noun Ecuador, the spelling changes to *ecuatoriano*.

2   Now match the countries or regions below with their corresponding nationality adjectives in the other circle; then put the adjective into its feminine form, as has been done with the word *México*.

Enlace los pares de palabras y cambie los adjetivos al femenino.

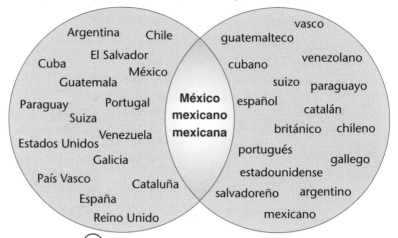

Left circle: Argentina   Chile
El Salvador
Cuba
México
Guatemala
Paraguay   Portugal
Suiza
Venezuela
Estados Unidos
Galicia
País Vasco
Cataluña
España
Reino Unido

Centre: **México mexicano mexicana**

Right circle: vasco
guatemalteco
cubano   venezolano
suizo   paraguayo
español
catalán
británico   chileno
portugués
gallego
estadounidense
salvadoreño   argentino
mexicano

Cataluña is *Catalunya* in Catalan

País Vasco is *Euskadi* in Basque

Actividad 5.3

Now you are going to join another fictional character, Isabel Colomer, a Valencian who has travelled to Chile to work with her theatre company called *Expresiones*.

1   Look at the following information about the members of her theatre company and write down what their nationalities or regional identities are. (You will have to guess the last one!) The first one has been done for you.

Lea y escriba.

Jorge
Cuzco, Perú

Jorge es peruano.

Alejandro
A Coruña, Galicia

Stefania
Génova, Italia

Iñaki
Orio, País Vasco

Heidi
Zurich, Suiza

Àgata*
Barcelona, Cataluña

E.T.
Marte

*This is Catalan spelling; in Spanish it is Ágata. Spanish does not have 'grave' accents (à, è, etc.)

2   Now you are going to ask about the nationalities of the theatre group members and what languages they speak. Listen to *Pista 20* and take part in the conversation.

Escuche y participe.

Español de bolsillo 🎧 *(Pista 34)*

¿De dónde eres?	Where are you from?
Soy de Valencia.	I'm from Valencia.
Soy valenciano/a.	I'm Valencian.
¿Hablas inglés?	Do you speak English?
No, pero hablo español y valenciano.	No, but I speak Spanish and Valencian.
¿De dónde es usted? (formal)	Where are you from?
¿Habla usted inglés? (formal)	Do you speak English?

HABLAR (singular forms)

(yo)	hablo
(tú)	hablas
(él/ella/usted)	habla

INDIGENOUS AND REGIONAL LANGUAGES

Spanish is one of the official languages of Spain and of the majority of Latin American countries. However, it coexists with many indigenous languages, from *náhuatl* in Mexico to *mapuche* in the south of Chile. Some of these are currently official languages alongside Spanish – *guaraní* in Paraguay, *quechua* in Peru, and both *aymara* and *quechua* in Bolivia.

The same happens in Spain, where Catalan (*catalán*), Basque (*vasco*), Galician (*gallego*) and Valencian (*valenciano*) have official status within their respective autonomous regions.

Notice in Catalan in tailor's window

Actividad 5.4

Here is an electronic postcard from Isabel Colomer to her son Aitor. Fill in the gaps using the information from the previous activity.

Complete el texto.

Terra, información, servicios interactivos y eventos mu...

Archivo   Edición   Ver   Favoritos   Herramientas   Ayuda

Atrás   Búsqueda   Favoritos

Dirección   http://www. página.portales   Ir

¡Hola Aitor!
Santiago de Chile es muy cosmopolita y muchos de mis compañeros son extranjeros. Stefania es _____, es de Génova. Alejandro es _____, es de Galicia. Jorge es _____, es de Cuzco; y Àgata es catalana, es de _____.Todos hablan muchas lenguas: Stefania habla _____, Alejandro español y _____, Iñaki _____ y ETÉ, el marciano, habla cinco: portugués, inglés, francés, alemán y ruso.
¡¡Tengo que aprender más lenguas!!
Besos,

Mamá

Internet

Léxico básico

alemán	*German*	estadounidense	*American (USA)*	panameño	*Panamanian*
argentino	*Argentinian*	francés	*French*	paraguayo	*Paraguayan*
brasileño	*Brazilian*	galés	*Welsh*	peruano	*Peruvian*
británico	*British*	gallego	*Galician*	portugués	*Portuguese*
catalán	*Catalan*	guatemalteco	*Guatemalan*	salvadoreño	*Salvadorean*
chileno	*Chilean*	hondureño	*Honduran*	suizo	*Swiss*
colombiano	*Colombian*	inglés	*English*	vasco	*Basque*
cubano	*Cuban*	irlandés	*Irish*	venezolano	*Venezuelan*
escocés	*Scottish*	italiano	*Italian*	hablar	*to speak*
español	*Spanish*	mexicano	*Mexican*	país (el)	*country*

Sesión 6
Un museo muy peculiar

In this session Isabel and Àgata go to a museum in Santiago de Chile where funny things start to happen...

Key learning points

- Asking and giving personal information
- Talking about your family
- The verb *tener*
- Numbers 10 to 100

Maya city of Labná, Mexico, c. 700 AD

Actividad 6.1

1   Before you go the museum, learn some basic vocabulary for family relations. Using your dictionary or guesswork, match the two columns.

Enlace las dos columnas.

(a) (el) hermano   (i)   sister
(b) (el) marido   (ii) grandmother
(c) (la) madre   (iii) husband
(d) (el) hijo   (iv) son
(e) (la) hermana   (v)   mother
(f) (la) abuela   (vi) brother

2   Now fill in the following vocabulary table by adding the masculine and feminine words that are missing. The first has been done for you as an example.

Complete la tabla.

esposa is used more frequently in Latin America

Singular		Plural	
Masculino	**Femenino**	**Masculino**	**Femenino**
el marido	la mujer / la esposa	los maridos	las mujeres / las esposas
	la madre		
el hijo			
	la hermana		
	la abuela		

Actividad 6.2 🎧

pre-Columbian = before Columbus reached the Americas

In this activity, Isabel and Àgata go to a museum of pre-Columbian art.

1   When the gallery they have been in is empty, an extraordinary thing happens – two of the sculptures start talking to each other. Read the following dialogue and fill in the gaps, which may contain more than one word. (You will check your answers in the next step.)

Lea el diálogo y complete el texto.

Figure of warrior-priest, Sechín, Peru, c.1600 B.C.

Ahu Tahai, Totemic sculpture, Easter Island, Chile, c.1300

Sechín

– ¡Hola!

– ¿Cómo te llamas?

– Yo me _____ Sechín. ¿De dónde eres?

– ¿Eres argentino?

– _____ peruano. Oye, ¿eres casado?

– ¿Y tienes hijos?

– ¿Cómo se _____?

Ahu Tahai

– ¡Hola! ¿Qué tal?

– Me _____ Ahu Tahai, ¿y tú?

– Soy de Rapanui, Isla de Pascua.

– No, no, _____. ¿Y tú?

– Sí, mi _____ se llama Motu Nui.

– Sí, un hijo.

– Rano Raraku.

casado/a
married

2 Listen to *Pista 21* to check your answers. Then double-check the missing words in the *Clave*.

Escuche y compruebe.

Español de bolsillo 🎧 (Pista 35)

¿Eres casado/a? (LAm)

¿Estás casado/a? (Sp) *Are you married?*

Sí, soy casado. (LAm) *Yes, I'm married.*

Estoy casada. (Sp) *I'm married.*

¿Cuántos años tienes? *How old are you?*

¿Tienes hijos? *Have you got any children?*

ASKING PERSONAL QUESTIONS USING *SER*, *ESTAR* AND *TENER*

As you have just seen, you use the verb *tener* to talk about age and family. Remember that the personal pronoun (i.e. *yo, tú, él,* etc.) is not always needed because the person is shown by the form of the verb, as below.

¿Cuántos años **tienes**? (tú) – (yo) **Tengo** nueve años.

¿(Usted) **Tiene** hijos? – Sí, (yo) **tengo** una hija.

TENER	Singular
(yo)	tengo
(tú)	tienes
(él/ella/usted)	tiene

To ask about marital status, you use the verb *ser* or *estar* – both mean 'to be'. Only *estar casado/a* would be used in Spain.

(tú) ¿**Eres/Estás** casado?

(yo) Sí, **soy/estoy** casado.

Remember that the masculine or feminine ending shows you the gender of the speaker: *soy/estoy divorcia**da*** could only be a woman speaking.

Actividad 6.3 🎧

In this activity you are going to practise asking personal details about age and family.

1 Àgata has just met somebody in the museum café and is having a conversation with him. But then the stranger starts asking some personal questions. Listen to *Pista 22* and, following the prompts you hear, take the role of the stranger asking Àgata the questions.

Escuche y participe en el diálogo.

2 Write questions for the following missing information using *ser* or *tener*. Use the informal form of address *tú*. The first has been done for you.

Escriba preguntas.

estado civil (el)
marital status

Nombre	Nacionalidad	Edad	Estado civil	Hijos
Ana	peruana	34	**(a)** ¿Estás casada? / ¿Eres casada?	una hija
Mariano	**(b)** _____	65	casado	2 hijos
Rosa	española	**(c)** _____	soltera	sin hijos
Kate	inglesa	22	divorciada	**(d)** _____

divorciado/a
divorced

Actividad 6.4 🎧 _____

G

1 Go to the section *Numbers: Cardinal numbers* in the grammar book and study how numbers 11–99 are formed. Then write down the ages of the people below. The first one has been done for you.

Escriba los números.

(a) Ana (34): treinta y cuatro.   (c) Rosa (16): _____

(b) Mariano (65): _____   (d) Kate (22): _____

2 Now listen to *Pista 23,* where someone is counting sheep to get to sleep. Repeat the numbers only, not the word *ovejitas* ('little sheep'). You'll have to be quick off the mark.

Escuche y repita.

Actividad 6.5 _____

Instead of going to the museum, Stefania from the theatre group *Expresiones* went to an internet café in Santiago to surf the Net. She finds the following website that attracts her attention. Read the Web page on the opposite page and answer the questions.

Lea y conteste las preguntas.

D

Only use your dictionary after trying to work out the sense first.

(a) Where is Quetzalcóatl from?

(b) How old is he?

(c) Is he married?

(d) What does he do?

¡Inscríbete ahora! Número de identidad: 92386

¡Hola a todos!
Mi nombre es Quetzalcóatl, busco a Macuilxóchitl, dios del placer.
DATOS PERSONALES:
Nombre: Quetzalcóatl
Edad: 2.000 años
Ciudad: Teotihuacán (México)
País donde vivo: México
Estado civil: Soltero
Profesión: Dios del viento

Correo electrónico:
Quetzalcóatl.viento@hotmail.com

Internet

Actividad 6.6

Àgata is the last visitor to leave the museum. As she leaves, much to her surprise, the chatty totemic sculpture from Easter Island says good-bye to her and even asks her some typical personal-information questions. What do you think they are? Record yourself on your blank tape saying the questions out loud.

Grábese en su cinta.

Léxico básico

abuela (la)	grandmother	hija (la)	daughter
abuelo (el)	grandfather	hijo (el)	son
casado	married	hijos (los)	children (= sons and daughters)
divorciado	divorced		
edad (la)	age	madre (la)	mother
esposa (la)	wife	mujer (la)	wife
estado civil (el)	marital status	nacionalidad (la)	nationality
hermana (la)	sister	padre (el)	father
hermano (el)	brother	soltero	single

Sesión 7
¿Vives en la Plaza de la Revolución?

In this session you will look at some famous addresses in Spain and Latin America and you will find out how to write and ask for someone's address.

Key learning point

- Asking and answering where you live

Actividad 7.1

Here are some frequently visited addresses in Spain and Latin America. Read the information about the different buildings and match the photographs with their descriptions.

Enlace las descripciones con las fotos.

(a) Palacio Cousiño: Calle Dieciocho, 438; es una mansión del siglo XIX de estilo rococó. Santiago de Chile.

(b) Casa-estudio de Diego Rivera y Frida Kahlo. Avenida Alta Vista y Diego Rivera, San Ángel, 109 3A, DF, México. Esta es la dirección del estudio de los artistas mexicanos Frida Kahlo y Diego Rivera.

(c) La Casa Milá o La Pedrera, en el Paseo de Gracia, 92, es una de las obras del modernista Gaudí.

(ii)

(i)

(iii)

Actividad 7.2

Abbreviations are frequently used in addresses. Find the abbreviations in these addresses and change the abbreviation for the full word by choosing the correct word from the box. Not all of them are needed. Look up any words you need to in the dictionary.

Escriba la palabra completa.

> Plaza • Avenida • esquina • Calle • carretera •
> Bajos • Señora • sin número • Señor • paseo

Juan Martí
C/ Bernaza 9, esq. Obispo
La Habana Vieja

Sr. Alfonso Miraflores
Av. Mercaderes,
entre San Ignacio y Virtudes
Centro Habana

Sra. Consuelo Martínez
Barros Errázuriz 1920, 3º
Santiago de Chile

Roberto Martín
Pza. de la Reina s/n
04010 Valencia

Manuel Setuain
C/ Sigüenza, 23, Bjos.
08025 Barcelona

HOW TO WRITE AN ADDRESS

To write which floor (*piso*) a flat is on, you use the abbreviation of ordinal numbers ('first, second, third, etc.'), like this:

> 1º, 2º, 3º, 4º... pronounced *primero, segundo, tercero, cuarto...*

To specify the door on a particular floor you use either letters (A, B...) or the same ordinal numbers in the feminine because they refer to a feminine noun, *la puerta* (door):

> 1ª, 2ª, 3ª, 4ª... (= *primera, segunda, tercera, cuarta...*)

You can find the full list of ordinal numbers 1st to 10th in the grammar book in the section *Numbers*.

Actividad 7.3 🎧 _____

Londres
London

Edimburgo
Edinburgh

1 Read the phrasebook sentences below, then listen to _Pista 24,_ where you will practise answering where you live.

Escuche y participe.

**Español de bolsillo** 🎧 _(Pista 36)_

¿Dónde vive? (formal)   _Where do you live?_

¿Dónde vives? (informal)

Vivo en Valencia.   _I live in Valencia._

¿Cuál es su dirección? (formal)   _What's your address?_

¿Cuál es tu dirección? (informal)

Calle Jovellanos 5, entre Legalidad y Concepción.
   Jovellanos Street, number 5, between...

VIVIR (singular forms)	
(yo)	vivo
(tú)	vives
(él/ella/usted)	vive

2 Listen to _Pista 25,_ in which two people phone a language school to ask for information about courses and give their addresses. Fill in the missing information in the addresses below.

muy bien
good (lit: very well)

Escuche los diálogos y complete las direcciones.

(a) William Newson.

   _____ Caballeros, 87, 1er_____ ,
   09023 Valencia

(b) Astrid Suhling,

   _____ de la Revolución, s/n,_____
   La Habana

> When _primero_ and _tercero_ come before a masculine singular noun, they shorten to _primer_ and _tercer,_ e.g. _el tercer piso_ (the third floor).

3 Now listen to _Pista 25_ again to practise saying the addresses; use the 'pause' button on your CD player.

Escuche las direcciones y repítalas.

E s p e j o Cultural

In this section you are going to find out some historical and cultural information about Hispanic countries through reading street signs.

1 Look at the following street names in the box and try to place them in the table according to whether they refer to an event, personality or building.

Complete la tabla con los nombres del recuadro.

> Calle de Cervantes • Avenida del General Perón • Plaza de la Catedral • Avenida de Juan Carlos I • Plaza de la Sagrada Familia • Calle Colón • Plaza del Libertador O'Higgins • Plaza de la Constitución • Avenida de la Universidad • Plaza del Ayuntamiento • Plaza de la Revolución

Historical events	Famous personalities	Public and famous buildings
...	Calle Colón	Avenida de la Universidad
...	...	...

Colón
Columbus
universidad
(la)
university

2 Look at the names of the streets you've classified and think of anything you may know about the historical or political events and personalities they refer to.

3 Think of street names in your own country. Do they tend to reflect the same kind of cultural information?

Léxico básico

avenida (la)	*avenue*	primero	*first*
calle (la)	*street*	segundo	*second*
cuarto	*fourth*	sin número	*no number (= without a number)*
dirección (la)	*address*		
esquina (la)	*corner*	tercero	*third*
piso (el)	*floor (= storey)*	vivir	*to live*

Sesión 8
Concursos gigantes

In this session you will look at an important aspect of popular culture in Spain and Latin America, *los concursos* (TV game shows). You will then take part in one and meet your fellow contestants.

Key learning points

- Talking about professions
- The indefinite article (*un, una*)

Actividad 8.1

In this activity you will find out what's on Spanish TV by reading a TV guide.

> **USING PREVIOUS KNOWLEDGE TO UNDERSTAND A TEXT**
>
> When reading in a foreign language don't forget to draw on your knowledge of the different types of texts (e.g. timetables, train tickets, adverts, etc.) that you navigate with ease in your own language. Thinking about the layout and type of information usually contained in a certain kind of text can prove a useful means of finding your way round what may at first appear to be inaccessible information.

1   Read the following TV listings from the website on the next page and look for examples of the following.

Lea y busque la información siguiente.

(a) Two channels on Spanish TV.

(b) The names of two presenters.

(c) Two news or current affairs programmes.

(d) The name of a film director.

2   What programmes are shown at different times of day? Write the names of the programmes next to the time of the day.

Escriba los nombres de los programas.

<u>Por la mañana:</u> *(in the morning)*

<u>Por la tarde:</u> *(in the afternoon / early evening)*

<u>Por la noche:</u> *(in the late evening / night)*

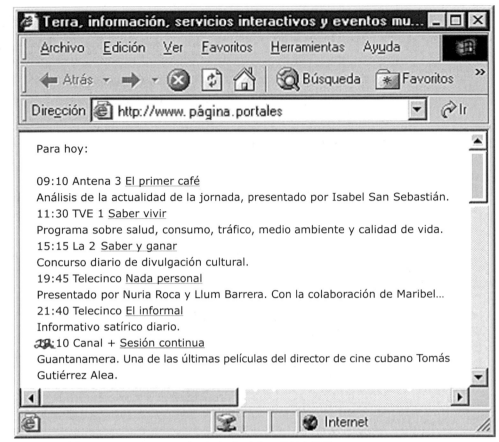

actualidad (la)
current affairs

salud (la)
health

medio
ambiente (el)
environment

calidad de
vida (la)
quality of life

divulgación (la)
*communication
of information*

Terra, información, servicios interactivos y eventos mu...

Archivo   Edición   Ver   Favoritos   Herramientas   Ayuda

← Atrás ▾   →   ⊗   ↻   ⌂ | Búsqueda   Favoritos   »

Dirección http://www.página.portales   ▾   ⬀ Ir

Para hoy:

09:10 Antena 3 El primer café
Análisis de la actualidad de la jornada, presentado por Isabel San Sebastián.
11:30 TVE 1 Saber vivir
Programa sobre salud, consumo, tráfico, medio ambiente y calidad de vida.
15:15 La 2 Saber y ganar
Concurso diario de divulgación cultural.
19:45 Telecinco Nada personal
Presentado por Nuria Roca y Llum Barrera. Con la colaboración de Maribel...
21:40 Telecinco El informal
Informativo satírico diario.
22:10 Canal + Sesión continua
Guantanamera. Una de las últimas películas del director de cine cubano Tomás
Gutiérrez Alea.

Internet

(Adapted from www.terra.es/ocio/television 7/11/01)

Actividad 8.2

In this activity you are going to meet some contestants on a game show
(*concurso*) called ¡Buena suerte! ('Good luck!'). But first read about shows in
Latin America.

CONCURSOS

Variety shows and quizzes are characteristic of Latin American television. They
rely on the patter and interaction of the *animador* (host) with the audience. Key
elements are *juegos* (games), *música* (music), *cómicos* (comedy), *concursos*
(contests) and *coloquios* (discussion programmes). Some of these shows are
eight hours in length and are usually shown on weekend afternoons and
evenings, like Raúl Velasco's *Siempre en domingo* ('Always on Sunday') or Don
Francisco's *Sábado gigante* ('Giant Saturday').

(Adapted from *Encyclopedia of Contemporary Latin American and Caribbean
Cultures*, vol. 3, p. 1457, Routledge, 2000)

1 Before you get to know the contestants and their workplaces, try to match the following words.

Enlace las columnas.

químico, -a
(el, la)
chemist

periodista
journalist

Professions		Workplaces	
(a)	camarera	(i)	escuela
(b)	químico	(ii)	hospital
(c)	profesor	(iii)	bar
(d)	periodista	(iv)	oficina
(e)	médico	(v)	laboratorio
(f)	informática	(vi)	periódico

trabajo en
I work in

2 Now listen to *Pista 26* to hear the contestants introducing themselves. Write the professions from the list above that are mentioned.

Escuche y escriba las profesiones.

Carolina Sánchez

José Carlos Justo

Francisca Bustos

Manuela Comas

3 Focus on the form of the indefinite article, then fill in the gaps below.

Complete las siguientes frases.

(a) Trabajo en _____ bar.

(b) Trabajo en _____ periódico.

(c) Trabajo en _____ escuela.

(d) Mi esposa trabaja en _____ oficina.

THE INDEFINITE ARTICLE (a / an)	Singular
Masculine	un amigo
Feminine	una amiga

TALKING ABOUT PROFESSIONS AND OCCUPATIONS

To talk about professions, the verb *ser* is usually used. Note that *un/una* is not used before the name of the profession.

Soy cantante.   (I'm a singer.)

Juan **es** químico.   (Juan is a chemist.)

When using the plural form, the name of the profession and the verb both have to take the respective plural form ('we', 'you', 'they'):

Yo **soy** camarero.   (I'm a waiter.)

Nosotros **somos** camarer**os**.   (We're waiters.)

SER			
(yo)	soy	(nosotros/nosotras)	somos
(tú)	eres	(vosotros/vosotras)	sois
(él/ella/usted)	es	(ellos/ellas/ustedes)	son

4 Now transform the following sentences into the plural using the person prompt in brackets, which may be masculine or feminine.

Cambie las frases al plural.

Ejemplo

Soy periodista.

(nosotros) *Somos periodistas.*

(a) Es informático. (ellas) _____

(b) ¿Tú eres cocinero? (vosotros) ¿ _____ ?

(c) ¿Es usted pintor? (ustedes) ¿ _____ ?

(d) Yo soy actriz. (nosotras) _____

(e) Es gerente. (ellos) _____

Plural	
nosotros /nosotras	we
vosotros /vosotras (informal)	you
ustedes (formal)	you
ellos /ellas	they

Enpoca**spalabras**

Vocabulary practice

You are now on the show, and are going to take part in the Colombian quiz game *¿Quiere cacao?* ('Do you want some cocoa?'), which, in the game, means, 'Do you want a clue'?

Link as many words as possible to form a chain of eight words starting with the words *actor* and *bailarín*. **Clue:** the words are connected with the theme 'popular culture'.

Léxico básico

cocinero, -a (el, la)	*cook, chef*
concursante (el/la)	*contestant*
concurso (el)	*competition* (also *game show*)
informativo (el)	*news programme*
mañana (la)	*morning*
noche (la)	*night*
película (la)	*film*
periodista (el/la)	*journalist*
presentador, -dora (el, la)	*presenter, host*
programa (el)	*programme*
químico, -a (el, la)	*chemist*
tarde (la)	*afternoon/evening*
trabajar	*to work*

Sesión 9
Repaso

In this session you will revise the language points that you have seen in this unit by doing some fun activities.

EL CÓMIC

Complete the dialogues.

Complete los diálogos.

ESTE ES ___ PADRE, ESTE ES ___ ABUELO, ESTA ES ___ HERMANA, ___ HIJA, ...

¡HOLA! ¿QUÉ TAL? ___ ES GERARDO Y ___ ES ROSARIO.

... ___ JEFE, ___ COMPAÑERO DE TRABAJO, ___ COLABORADORA DE LA EMPRESA, ...

¡A CONTAR!

Complete the sequences.

Complete las series.

(a) Cinco, diez, quince, _____ , _____ , _____ , _____ , cuarenta.

(b) Doce, catorce, dieciséis, _____ , _____ , _____ , _____ , veintiséis.

(c) Treinta y cuatro, cuarenta y cuatro, cincuenta y cuatro, _____ , _____ , _____ , _____ , ciento cuatro.

(d) Cincuenta, cuarenta y siete, cuarenta y uno, treinta y dos, _____ , _____ .

EL PEDANTE

Look at the following notices posted on a Web page where people advertise things. Each of them contains one or two mistakes to do with adjectives of nationality or names of professions. Correct them.

Corrija las faltas.

Escuela de español, "Cara a cara" (face to face)

Soy profesora de española y soy colombiano.
Clases de español a todos los niveles.

maruja.perez@hotmail.com

Club de amigos de las lenguas románicas,

Hablamos español, francesa, portugués, catalán, italiano.
¡Apúntate!
http://www.clubamigosro.co

Compañía de danza Los Mapuches.
Busco un chico actora y bailarin entre 19-32 años,
La Serena, Chile.
Escribe a:
xmarwill@trio-cadavera.com

GRUPO MUSICAL 'SUENAFATAL'

Hola, ¿qué tal? Soy Manuela y soy profesora de piano y soy cubesa, de la Habana.
¿Eres cantanta?
Mi dirección de correo es: M.Bacardi@tel.cu

MI GRAMÁTICA: Sustantivos y artículos / Nouns and articles

1   Fill in the table with the names of professions from the box below in their feminine form according to their endings. The first has been done for you.

Complete la tabla.

> profesor • estudiante • gerente • actor • colaborador •
> empresario • arquitecto • cantante • pintor • secretario •
> informático

Ending in -o → Change to -a	Ending in consonant → Add an -a	Ending in -nte → No change	Exceptions
...	profesora	...	...
...	...	...	...

2　Fill in the table with the appropriate nouns and their corresponding definite article. Only the white boxes require filling. The first has been done for you.

Complete la tabla.

el	la	los	las
el farol		los faroles	
	la casa		
	la mesa		
		los bancos	
el problema			
			las flores

TEST CULTURAL

In this activity you are going to test some of the knowledge about Spanish and Latin American culture that you have acquired in the unit. Choose the correct option to complete each sentence.

Escoja la opción correcta.

(a) Muchas de las plazas principales en Latinoamérica se llaman …	(i) Plaza de la Iglesia. (ii) Plaza de las Américas. (iii) Plaza de Armas.
(b) Uno de los barrios del Valencia se llama …	(i) el Carme. (ii) el Pilar. (iii) Triana.
(c) Algunos españoles de fama internacional son valencianos, como Santiago Calatrava, un …	(i) empresario. (ii) arquitecto. (iii) bailarín.
(d) Una de las lenguas oficiales del Perú es el …	(i) náhuatl. (ii) gallego. (iii) quechua.
(e) Una de las casas y direcciones más visitadas de Barcelona es ..,	(i) la Casa Milá de Gaudí. (ii) la casa estudio de Diego Rivera y Frida Kahlo. (iii) el Palacio Cousiño.

EL CANCIONERO 🎧

This is your own song book. During the course you will be hearing (and singing!) a song or two in each unit. This time you're going to listen to a children's song. Read the following steps and do them in the order you prefer.

1 Go to the transcript of *Pista 27* and read a popular children's folk song about colours and numbers. You can check what the colours are in the dictionary.

Lea la canción.

2 Listen to the song on *Pista 27*.

Escuche la canción.

3 Listen to the song again and sing along!

Escuche otra vez la canción y ¡cante!

DOCUMENTAL 🎧

Now it's time to listen to the first programme of the documentary series *En portada*. These are short features about different topics, recorded live in Valencia. You shouldn't worry if you only catch some of the words or get a very general idea of what is being talked about. Little by little you will get used to listening in Spanish.

In the first programme you are going to find out about surnames (*Los apellidos*) in the Spanish-speaking world. Listen to *Pista 28* and try to answer the following questions.

(a) How many surnames do people in Spain and Latin America have?

(b) From whom are surnames passed down?

(c) Can you name any regions of Spain mentioned in the documentary (as having links with particular surnames)?

cada persona tiene…
each person has…

¿Sabes de dónde…?
Do you know where … from?

Sesión 10
¡A prueba!

This session consists of a self-assessment test which will give you an idea of the progress you have made throughout this unit. In the *Clave* you will find answers, explanations and revision tips. Remember to pay attention to spelling, including accents.

Part A
Test your vocabulary

1 Cross out the odd one out. The first has been done for you.

Tache el intruso.

(a) camarero • secretario • ~~hermano~~ • enfermero • informático

(b) calle • paloma • avenida • paseo • plaza

(c) hijo • padre • madre • marido • jefe

(d) Venezuela • Argentina • Bolivia • Brasil • Perú

(e) Galicia • País Vasco • Patagonia • Cataluña • Andalucía

2 Choose the correct option.

Escoja la opción correcta.

(a) Estoy _____. Mi marido se llama Juan.

(i) casada   (ii) divorciada   (iii) soltera

(b) En la plaza de la Reina hay un _____.

(i) barrio   (ii) banco   (iii) centro

(c) El libro *Paula* es de la famosa _____ chilena, Isabel Allende.

(i) actriz   (ii) arquitecta   (iii) escritora

(d) El padre de mi padre es mi _____.

(i) hijo   (ii) hermano   (iii) abuelo

(e) En el equipo somos cinco, una secretaria, dos arquitectos, un gerente y mi _____.

(i) perro   (ii) jefe   (iii) informático

3 Write out the numbers in words.

Escriba los números en palabras.

(a) Mi madre tiene (66) _____ años.

(b) Yo vivo en la calle Fuencarral (56) _____.

4 Fill in the gaps.

Rellene los espacios.

(a) Mi marido es de Alemania y habla _____.

(b) Una colega del trabajo tiene cinco _____ de dos, tres, cinco, siete y nueve años.

(c) Las _____ del bar *Sorolla* se llaman Marta y Silvia.

Test your grammar

1 Fill in the gaps with the appropriate article from the box.

Complete las frases.

> El • La • Los • Las

(a) _____ plaza es bonita.

(b) _____ árboles son altos.

(c) _____ calle es larga.

(d) _____ país más grande de Latinoamérica es Brasil.

(e) _____ película se llama *Hable con ella*.

2   Fill in the gaps with the appropriate verb form from the box.

Complete las frases.

> soy • se llama • tengo • es • me llamo • son •
> tiene • te llamas • eres • tienes • sois

(a) (yo) _____ diez años.

(b) Yo me llamo Mercedes. Y tú, ¿cómo _____?

(c) (yo) _____ un abuelo boliviano.

(d) ¿De dónde _____ usted?

(e) Mi padre _____ Francisco.

(f) ¿Cuántos años _____ (usted)?

(g) Mi vecina _____ seis hijos.

(h) El _____ cantante y yo _____ bailarina.

(i) Yo soy de Viña del Mar y ellos _____ de Valparaíso.

(j) Y vosotros, ¿de dónde _____?

Part B 🎧

Test your listening skills

Listen to *Pista 29*, where you will hear three sets of introductions, and complete the table below.

Escuche y complete la tabla.

	Dialogue (a)	Dialogue (b)	Dialogue (c)
Where are they?	In a lift.	In a café / bar.	In a house / at a party.
How many people are there?			
What is the relationship of the people being introduced? (colleague, friend, etc.)			

Part C

Test your speaking skills

Now you will introduce people in different contexts.

Use the information below to introduce someone to the people in the three groups below. Record your introductions on a blank tape.

Grábese en su cinta.

(a)
> Marta Castañeiras, gerente de Mentesana.
> Sr. Sánchez, director de Márketing.
> La señora Furnborough, una colega.

(b)
> Juanita, mi hermana.
> Silvia, mi madre.
> David, mi padre.
> Ana, mi hija.
> Roco, mi perro.

(c)
> Jorge, un amigo.
> Víctor, mi pareja.

Part D 🎧

Test your communication skills

1 Listen to *Pista 30*, where a doctor is registering a new patient, and tick in the boxes below what information the doctor asks for.

Escuche y marque con una cruz.

Nombre	❏	Familia	❏
Dirección	❏	Nacionalidad	❏
Idiomas	❏	Profesión	❏
Edad	❏		

2 Using the questions the doctor asked in the previous step, record yourself giving the information requested. (You can invent the personal information asked for if you would rather not talk about yourself.)

Grábese en su cinta.

Clave

Actividad 1.1

1 The correct answers are:

las palomas, los niños (*you can just see a second child's legs behind the standing man!*), la iglesia. *You may have put* el coche, *but the vehicles in the background are vans and minibuses.*

2 The order in which the words are mentioned is:

1 – la fuente, 2 – los niños, 3 – las palomas, 4 – la bicicleta, 5 – la iglesia, 6 – el coche, 7 – el móvil.

Actividad 1.2

Masculino: el niño, el banco, el árbol, el coche, el móvil.

Femenino: la fuente, la plaza, la paloma, la iglesia, la bicicleta.

Actividad 1.3

Here are the correct articles:

los globos, **el** monumento, **el** semáforo, **la** fuente, **los** niños, **el** bar, **las** sillas, **las** mesas, **el** vino, **el** banco, **las** palomas.

Actividad 1.5

1 ¡Hola, Ana!; 2 Por favor; 3 ¡Perdón!; 4 ¡Oiga!; 5 Gracias.

Actividad 2.2

1 The names mentioned in the extract are: Nuria, Laura, Estefanía, Cristina, José Segarra, Guillem.

Female Spanish first names used to be associated with saints or with the Virgin and many still are, as you can see in the list for the exercise you have just done: la Virgen del **Rosario**, de **Guadalupe**, etc.

2

	¿Cómo te llamas?	¿Cómo se llama (usted)?
Nuria	✗	
Laura	✗	
Estefanía	✗	
Cristina		✗
José		✗
Guillem	✗	

Actividad 2.4

(a) – ¡Hola! Me **llamo** Rosa María. Y tú, ¿cómo te **llamas**?

– Me **llamo** Ana.

(b) – Hola, ¿qué tal? Yo **soy** José. Y tú, ¿**eres** Juan?

– No, me **llamo** Patricio.

(c) – ¡Buenos días! ¿Cómo se **llama** usted?

– Me **llamo** Jaime Corpas Vilaseca.

Mafalda cartoon – the third box means: 'You poor thing! Think how much more time you'd have to say things if you had a shorter name.'

Actividad 3.1

1 **Dialogue (a)**: informal. The language used is informal/neutral: '*Esta es*', '*¡Hola, ¿qué tal?*' The dialogue is also set in a bar and the speakers are young.

Dialogue (b): formal, shown in language used: '*señora Hernández, le presento*', etc. This dialogue is set in an office and the people speaking to each other haven't met before.

However, do not worry at this stage if you use the wrong form of address as everybody will understand that you are a beginner and will not be offended!

2　(a)　"Mira, esta es María, una amiga. Y esta Liliana, mi pareja".

　　(b)　"Le presento al señor Fernando Cortés, un colega".

Actividad 3.2

1　(a)　Esta es **mi** amiga Mireia.

　　(b)　Este es Juan, **mi** marido.

　　(c)　Este es Patricio, **un** colega de Jaime.

　　(d)　Esta es **mi** jefa.

　　(e)　Este es **mi** ayudante Juan.

　　(f)　Esta es **una** colaboradora del proyecto.

　　(g)　Esta es **mi** mujer.

Actividad 3.3

Here is a recommended answer:

　　Le presento a David French, un ayudante.

　　Le presento a Ann Holt, una colega.

　　Le presento a Mary Brown, mi secretaria.

　　Le presento a Ruth Ross, una colaboradora.

Actividad 3.4

1

	Diálogo (a)	Diálogo (b)	Diálogo (c)	Diálogo (d)
Mucho gusto.	X		X	X
Encantado/a	X		X	
¡Hola!		X		X
¿Qué tal?		X		

Actividad 3.5

1　Here is a possible answer:

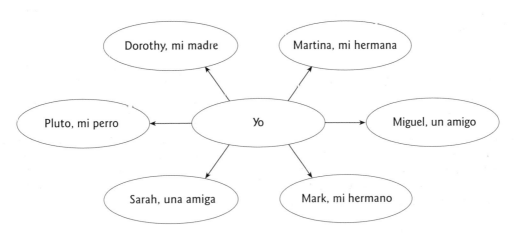

Actividad 4.1

1 (a) cantante, (b) escritora, (c) escritor, (d) director, (e) directora, (f) actriz, (g) actor.

2 Here are some suggestions:

Shakira, cantante (colombiana).

Julio Iglesias, cantante (español).

Mario Vargas Llosa, escritor (peruano).

Gabriela Mistral, escritora (chilena).

Pedro Almodóvar, director de cine (español).

Pilar Miró, directora de cine (española).

Carmen Maura, actriz (española).

Javier Bardem, actor (español).

3 la pintora, la secretaria, la informática, la estudiante, la escritora, la camarera, la profesora, la gerente.

Actividad 4.2

2 bolígrafos, impresoras, ordenadores, ratones, papeles, sillas, mesas, papeleras.

Actividad 4.3

(a) – (iii) Santiago Calatrava, arquitecto;

(b) – (i) Blasco Ibáñez, escritor;

(c) – (v) Sorolla, pintor;

(d) – (iv) Raimón, cantante;

(e) – (ii) José Lladró, empresario.

En pocas palabras

Dictionary skills

 For further information on the use of the dictionary, read the introduction of the recommended dictionary.

Word / phrase to look up	Translation(s)	Examples (in italic) and related expressions (in bold)	Other information
plaza	① square ② market ③ place	① *la plaza del pueblo* the town square **la plaza mayor** the main square **una plaza de toros** a bullring	*la* SUSTANTIVO (= feminine noun)
¡Hasta luego!*	See you!	**¡Hasta el sábado!** See you on Saturday!	

* Note that you may find this expression under both headwords *hasta* and *luego*.

Vocabulary practice

(a) camareros, (b) arquitecto, (c) gerente, (d) actriz, (e) pintor, (f) ayudante.

Actividad 5.1

1 The remaining Spanish-speaking countries are shown in bold:

2 'r': Pe**r**ú, Pa**r**aguay, Nica**r**agua, Hondu**r**as, U**r**uguay.

'rr' sound: Costa **R**ica, **R**epública Dominicana.

Written 'rr' is always trilled.

Written 'r' is pronounced as a single flap of the tongue when it comes between two vowels; but at the beginning of a word, it is pronounced like 'rr' (trilled).

Actividad 5.2

1 (a) México, (b) El Salvador, (c) España (*Salamanca is a historic city in the Spanish region of Castilla y León*), (d) Chile.

2 Argentina – argentino argentina

Chile – chileno chilena

Cuba – cubano cubana

El Salvador – salvadoreño salvadoreña

Guatemala – guatemalteco guatemalteca

México – mexicano mexicana

Paraguay – paraguayo paraguaya

Venezuela – venezolano venezolana

Estados Unidos – estadounidense estadounidense

Cataluña – catalán catalana

Galicia – gallego gallega

País Vasco – vasco vasca

España – español española

Portugal – portugués portuguesa

Reino Unido – británico británica

Suiza – suizo suiza

The remaining nationality adjectives for Spanish-speaking Latin American countries that have not been shown in this session are: *nicaragüense* and *uruguayo*.

Activity 5.3

1 Jorge es peruano; Alejandro es gallego; Stefania es italiana; Iñaki es vasco; Àgata es catalana; Heidi es suiza; E.T. es marciano (es de Marte).

Activity 5.4

Stefania es **italiana**… ; Alejandro es **gallego**… ; Jorge es **peruano**… ; Àgata es catalana, es de **Cataluña**; Stefania habla **italiano**, Alejandro español y **gallego**, Iñaki **vasco**…

Actividad 6.1

1 (a) – (vi) hermano – *brother;*   (d) – (iv) hijo – *son;*
(b) – (iii) marido – *husband;*   (e) – (i) hermana – *sister;*
(c) – (v) madre – *mother;*   (f) – (ii) abuela – *grandmother.*

2 Here is the completed table:

Singular		Plural	
Masculino	**Femenino**	**Masculino**	**Femenino**
el marido	la mujer la esposa	los maridos	las mujeres las esposas
el padre	la madre	**los padres**	**las madres**
el hijo	**la hija**	los hijos	las hijas
el hermano	la hermana	**los hermanos**	**las hermanas**
el abuelo	la abuela	**los abuelos**	**las abuelas**

Note how the following terms can refer to both genders together: *hijos* = children (sons and daughters), *mis padres* = my parents, *mis abuelos* = my grandparents, *mis hermanos* = my brothers and sisters (if you have sisters too).

Actividad 6.2

2

... **llamo** ...

... me **llamo** ...

... **soy chileno** ...

Yo soy peruano.

... **mujer** ...

¿Cómo se **llama**?

The **Inca** civilization of Peru (c.1100–1530s AD) and that of the **Aztecs** of Mexico (c.1300–1520 AD) were only the last of many cultures to have existed in Latin America before the Spanish arrived.

Actividad 6.3

2   (b) ¿De dónde eres?

(c) ¿Cuántos años tienes?

(d) ¿Tienes hijos?

Actividad 6.4

1   (b) Mariano (65): **sesenta y cinco.**

(c) Rosa (16): **dieciséis.**

(d) Kate (22): **veintidós.**

Actividad 6.5

(a) He's from Teotihuacán in Mexico. (**Teotihuacán**, near present-day Mexico City, is considered to have been one of the most splendid cities of the ancient world, containing numerous palaces dominated by two pyramids; the culture centred on the city lasted from 600 BC till its destruction in approximately 900 AD.)

(b) He's 2,000 years old. (*Edad* = age).

(c) No, he's single. (*Estado civil: soltero*).

(d) He is the god of the wind (*dios del viento*). (In fact, this plumed serpent deity was worshipped for a variety of attributes associated with the weather. Its cult was adopted by the Toltecs, Mayas and Nahuas in turn.)

Actividad 6.6

Here is a possible answer:

¿Cómo te llamas?

¿De dónde eres?

¿Cuántos años tienes?

¿Estás casada? *or* ¿Eres casada?

¿Tienes hijos?

Actividad 7.1

(a) – (iii), (b) – (i), (c) – (ii).

(Note that the letters DF in address (b) stand for *Distrito Federal*, which is the usual way of referring to Mexico City within Mexico.)

Actividad 7.2

C/ = Calle	Pza. = Plaza
esq. = esquina a	s/n = sin número
Sr. = Señor	Sra. = Señora
Av. = Avenida	Bjos. = bajos

Calle means 'street', *avenida* means a large avenue or boulevard, and *paseo* an avenue designed with a (central) walkway to promenade along.

Actividad 7.3

2   (a) William Newson

Calle Caballeros, 87, 1er **piso**

09023 Valencia

(b) Astrid Suhling

Plaza de la Revolución, s/n, **Bajos**

La Habana

E s p e j o Cultural ⸻

1   **Historical events:** Plaza de la Constitución, Plaza de la Revolución.

Famous personalities: Calle de Cervantes, Avenida del General Perón, Avenida de Juan Carlos I, Plaza del Libertador O'Higgins.

Public and famous buildings: Plaza de la Catedral, Plaza del Ayuntamiento, Plaza de la Sagrada Familia.

2 Historical events: *Constitución*: a constitution for a democratic Spain was drawn up following the historic general election of 1977 and given final approval by national referendum in December 1978. All Latin American countries have constitutions. *Revolución*: many Latin American countries have public spaces named after their Independence movements (1810–28) or the Mexican Revolution of 1910 and Cuban Revolution of 1959.

Famous personalities: **Cervantes** (1547–1616), author of *Don Quixote*, is probably Spain's most famous writer; **Juan Domingo Perón** was dictator (1946–55) and later president (1973–4) of Argentina; **Juan Carlos I**, the present king of Spain, was nominated by General Franco to be first king of a restored monarchy following his death (1975); **Bernardo O'Higgins** was one of the leaders of the struggle for independence from Spain, and the first president of Chile (1817–23).

Public and famous buildings: *Catedral* = cathedral; *La Sagrada Familia* is Antoni Gaudí's unfinished church in Barcelona; *Ayuntamiento* = Town Hall, City Hall.

3 In the case of the United Kingdom, it could be suggested that traditionally there has not been such a deliberate and consistent custom of reflecting the history and culture of the country in names of major thoroughfares and spaces. Central London, for example, has no street named after Shakespeare.

Actividad 8.1

1 (a) Antena 3, TVE 1, La 2, Telecinco and Canal +.

(b) Isabel San Sebastián, Nuria Roca and Llum Barrera.

(c) *El primer café* ('*análisis de la actualidad*') and *El informal* ('*informativo*') are both current affairs programmes.

(d) The film director ('*director de cine*') mentioned is Tomás Gutiérrez Alea.

2 Por la mañana: *El primer café*; *Saber vivir*.

Por la tarde: *Saber y ganar*; *Nada personal*.

Note the broad time of day that the term 'tarde' covers.

Por la noche: *El informal*; *Sesión continua*.

Actividad 8.2

1 (a) – (iii) camarera – bar;

(b) – (v) químico – laboratorio;

(c) – (i) profesor – escuela;

(d) – (vi) periodista – periódico;

(e) – (ii) médico – hospital;

(f) – (iv) informática – oficina.

2 (a) camarera, (b) periodista, (c) profesor, (d) informática.

3 (a) Trabajo en **un** bar.

(b) Trabajo en **un** periódico.

(c) Trabajo en **una** escuela.

(d) Mi esposa trabaja en **una** oficina.

4 (a) **Son** informátic**as**.

(b) **Sois** cocineros. /Vosotros Sois cocineros

(c) ¿**Son** pintores? (If you were /Son ustedes pintores addressing a group of female only painters, you would say '¿Son pintor**as**?'.)

(d) **Somos** actrices. | Nosotras somos actrices

(e) **Son** gerent**es**.

Enpocaspalabras

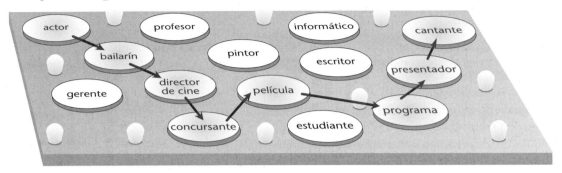

SESIÓN 9

EL CÓMIC

Here are the completed dialogues:

"Hola! Qué tal? **Este** es Gerardo y **esta** es Rosario".

"Este es **mi** padre, este es **mi** abuelo, esta es **mi** hermana, **mi** hija,…"

"… **mi** jefe, **(este es) un** compañero del trabajo, **una** colaboradora de la empresa, …"

¡A CONTAR!

(a) Cinco, diez, quince, **veinte, veinticinco, treinta, treinta y cinco,** cuarenta.

(b) Doce, catorce, dieciséis, **dieciocho, veinte, veintidós, veinticuatro,** veintiséis.

(c) Treinta y cuatro, cuarenta y cuatro, cincuenta y cuatro, **sesenta y cuatro, setenta y cuatro, ochenta y cuatro, noventa y cuatro,** ciento cuatro.

(d) Cincuenta, cuarenta y siete, cuarenta y uno, treinta y dos, **veinte, cinco.**

EL PEDANTE

Here are the corrected mistakes from each notice:

First notice: profesora de **español,** colombiana.

Second notice: francés.

Third notice: **actor,** bailarín.

Fourth notice: cubana, cantante.

MI GRAMÁTICA

1   Here is the completed table with the corresponding feminine endings:

Ending in -o → Change to -a	Ending in consonant → Add an -a	Ending in -nte → No change	Exceptions
empresaria	profesora	estudiante	actriz
arquitecta	colaboradora	gerente	
secretaria	pintora	cantante	
informática			

2   Here is the completed table:

el	la	los	las
el farol		los faroles	
	la casa		**las casas**
	la mesa		**las mesas**
el banco		los bancos	
el problema		**los problemas**	
	la flor		las flores

TEST CULTURAL

(a) – (iii) Plaza de Armas, (b) – (i) el Carme,
(c) – (ii) arquitecto, (d) – (iii) quechua,
(e) – (i) la Casa Milá de Gaudí.

DOCUMENTAL

(a) People in Spain and Latin America have two surnames.

(b) The first surname comes from the father and the second from the mother.

(c) The regions mentioned are: Aragón, Castilla la Vieja, Castilla, Cataluña ('... *Ros es catalán*), Valencia ('... *y Solé valenciano*'), País Vasco ('*Iturri es vasco*') and Galicia ('... *Franco es gallego*').

SESIÓN 10

Part A

Test your vocabulary

1   (a) *hermano* is the odd one out as the others were words for professions whereas this word means 'brother'.

(b) *paloma* means 'pigeon'; the other words are types of streets and public places.

(c) *jefe* means 'boss'; the others are words for relatives.

(d) *Brasil* is a Portuguese-speaking country; the others are all Spanish-speaking.

(e) *Patagonia* is a region in Argentina ; the others are all names of regions in Spain.

2   (a) – (i), (b) – (ii), (c) – (iii), (d) – (iii), (e) – (ii).

3   (a) sesenta y seis, (b) cincuenta y seis.

4   (a) alemán, (b) hijos, (c) camareras.

> **Revision**   To revise vocabulary, go to the *Léxico básico* section at the end of each session, cover the English translation and try to remember the translation of each Spanish word. Then do it the other way round, covering the Spanish.

Test your grammar

1   (a) **La** plaza es bonita. ('*plaza*' *is a feminine singular noun*)

(b) **Los** árboles son altos. (*masculine plural*)

(c) **La** calle es larga. (*feminine singular*)

(d) **El** país más grande de Latinoamérica es Brasil. (*masculine singular*)

(e) **La** película se llama *Hable con ella*. (*feminine singular*)

Revision Practise the definite articles by going to *Sesión 1*. Study the Grammar box in *Actividad 1.2*, then do *Actividad 1.2* and *Actividad 1.3*.

2 (a) (yo) **Tengo** 10 años. (*To talk about age, you use the verb* tener. *Here you need the first person.*)

   (b) Yo me llamo Mercedes. Y tú ¿cómo **te llamas**? (*To say your name, you use the verb* llamarse. *Here you need the second person.*)

   (c) **Tengo** un abuelo boliviano. (*To talk about your family, you use the verb* tener. *Here you need the first person.*)

   (d) ¿De dónde **es** usted? (*To talk about where you are from, you use the verb* ser. *Here you need the third person singular.*)

   (e) Mi padre **se llama** (or **es**) Francisco. (*To say your name, you use the verb* llamarse. *Here you need the third person singular.*)

   (f) ¿Cuántos años **tiene** (usted)? (*To say your age, you use the verb* tener. *Here you need the third person singular.*)

   (g) Mi vecina **tiene** seis hijos. (*To talk about family, you use the verb* tener. *Here you need the third person singular.*)

   (h) El **es** cantante y yo **soy** bailarina. (*To talk about professions, you use the verb* ser. *Here you need the third person singular and first person singular.*)

   (i) Yo soy de Viña del Mar y ellos **son** de Valparaíso. (*To talk about nationality and origin, you use the verb* ser. *Here you need the third person plural.*)

   (j) Y vosotros, ¿de dónde **sois**? (*To talk about nationality and origin, you use the verb* ser. *Here you need the second person plural.*)

Revision Go to *Actividad 6.3*, step 2 and write down the information about each person in the table in full sentences.

Part B
Test your listening skills

	Dialogue (a)	**Dialogue (b)**	**Dialogue (c)**
How many people are there?	3	3	3
What is the relationship of the people being introduced? (friend, colleague, etc.)	Sr Rodríguez; Señorita Vergara, compañera de trabajo.	Olga, hija; Micaela, vecina.	Carmen; Paco; Ana una amiga.

Part C

Test your speaking skills

(a) **Le presento a** Marta Castañeiras, la gerente de Mentesana, **el** señor Sánchez, **el** director de Márketing y **la** señora Furnborough, una colega.

(b) **Hola, esta es** Juanita, mi hermana; **esta es** Silvia, mi madre, **este es** David, mi padre, **esta (es)** mi hija Ana, y **este (es)** Roco, mi perro.

(c) **Mira, este es** Jorge, un amigo y **(este es)** Víctor, mi pareja.

Revision   Look for some old photographs and holiday snaps and imagine you are telling somebody who the people in the picture are.

Revision   Look at the pictures in *Actividades* 2.1 and 2.2 and imagine what the people are called, what their address is, how old they are, etc. Write it down and then say it out loud.

What areas were you weakest in? Look at the revision tips and do the exercises suggested for the areas that you have performed less well in.

Part D

Test your communication skills

1   The doctor asks the patient for the following information, in this order:

Nombre   (¿Cómo se llama? ¿Cómo se escribe su primer apellido?)

Edad   (¿Cúantos años tiene?)

Dirección   (¿Dónde vive? ¿Cuál es su dirección?)

Profesión   (¿En qué trabaja?)

Familia   (¿Tiene hijos?)

2   Here is a possible answer:

Me llamo Natalia Sánchez. Tengo cuarenta y dos años. Vivo en la calle Santa Clara número 52, Bajos. Soy enfermera. No tengo hijos. / Tengo dos hijos y una hija.

2

Espacios públicos

You are already familiar with *las plazas* as a focal point of Hispanic towns and cities. In this unit you will find out more about several cities in Latin America: Santiago de Chile and La Serena in Chile, Santiago de Cuba and Havana in Cuba, and Montevideo in Uruguay. You will also hear more about Valencia and Barcelona in Spain, their monuments, places of interest and where to go for different purposes.

Throughout the different sessions you will acquire the basic language to get by in a Hispanic city: you will learn to describe places, give and understand directions, talk about urban transport and find your way around inside a building.

OVERVIEW: ESPACIOS PÚBLICOS

Session	Language points	Vocabulary
1 Arte y ciencia	• Description of a famous public place • Adjectives: gender and number	New buildings and developments, and adjectives to describe them: *la casa, el edificio, moderno,* etc.
2 Monumentos y edificios famosos	• Asking and answering where a monument or a building is • Describing a building • Using *estar* to indicate location	Monuments and historic buildings, and adjectives to describe them: *la catedral, el campanario, alto,* etc.
3 Visita a Santiago y Montevideo	• Prepositional phrases • Prepositions of place • Reviewing the verb *estar* to indicate location	Tourist sights and local amenities: *el supermercado, el polideportivo, la oficina de turismo,* etc.
4 Espacios públicos	• Saying where you are going • Using *ir + a:* '*Voy a…*' • Vocabulary relating to public places	Local amenities: *el banco, el bar, el cine,* etc.
5 Un bar en La Habana	• Describing a place • Use of *hay / no hay* • The indefinite articles: *un, una, unos, unas*	What you can expect to find in a bar: *bebidas, equipo de música, pista de baile,* etc.
6 El centro deportivo	• Referring to location within a building • Asking and answering questions about location	The sports centre: *el gimnasio, la monitora, la piscina,* etc.
7 Perdido en Barcelona	• Asking for and giving information about places • Giving directions	Dealing with everyday needs: *el dinero, la tarjeta de autobús, el cajero automático,* etc.
8 Hoteles con alma	• Talking about location • Indicating approximate time and distance • Revision of adjectives	Choosing a hotel: *caro, barato, tranquilo,* etc.
9 Repaso	Revision	
10 ¡A prueba!	Test yourself	

Cultural information	Language learning tips
New architecture and regeneration projects in Valencia.	
Monuments and historic buildings in Hispanic towns and cities.	Using 'question words' to find out information about places.
Getting to know two capital city centres in South America: Santiago de Chile and Montevideo, Uruguay.	
Common public places in Spanish towns.	Using grammatical information in the dictionary. Learning which adjectives go with which nouns.
Bars and entertainment venues in Havana, Cuba.	
Comparing public places.	
Services available in a Spanish bank.	
Some interesting hotels in the Hispanic world.	Classifying vocabulary according to grammatical class.
	Extracting information in stages from a listening passage.
	Organizing vocabulary.

Sesión 1
Arte y ciencia

In this session you are going to learn how to describe places, in terms of both appearance and function, starting with a new technology park in Valencia, *la Ciudad de las Artes y las Ciencias*, a wonderful example of modern Spanish architecture.

Key learning points

- Description of a famous public place
- Adjectives: gender and number

Actividad 1.1 _____

1   Look at the picture and tick what you think it is.

Observe y marque con una cruz.

(a) una iglesia ❏

(b) un centro comercial ❏

(c) un aeropuerto ❏

(d) un centro cultural y de ocio ❏

ocio (el)
leisure

2   Read the following text about *la Ciudad de las Artes y las Ciencias*. Then tick the statements to show whether they are true or false.

Lea y marque con una cruz.

consta de
consists of
ojo (el)
eye
bóveda (la)
vault
acristalado
(made of) glass

LA CIUDAD DE LAS ARTES Y LAS CIENCIAS

La Ciudad de las Artes y las Ciencias es un complejo cultural y de ocio. Es un edificio espectacular de los arquitectos Santiago Calatrava y Félix Candela, que consta de cinco áreas: el Hemisférico, el Museo de las Ciencias "Príncipe Felipe", el Umbráculo, el Oceanográfico y el Palacio de las Artes.

El Hemisférico es un edificio moderno en forma de ojo destinado a espectáculos audiovisuales. El Museo de las Ciencias es una bóveda enorme acristalada con una estructura metálica blanca. Es un museo interactivo que dedica especial interés a la genética y la biología. El Umbráculo es un paseo precioso con muchos arbustos y flores.

arbustos (los)
shrubs

El Oceanográfico es un acuario gigante en forma de ciudad submarina. El Palacio de las Artes es un espacio para las artes con tres auditorios.

tiendas (las)
shops

En el complejo también hay restaurantes y tiendas muy modernos.

	Verdadero	Falso
(a) La Ciudad de las Artes y las Ciencias es un complejo cultural y de ocio.	❑	❑
(b) El Umbráculo es una plaza.	❑	❑
(c) El Hemisférico es un museo.	❑	❑
(d) El Oceanográfico es una piscina.	❑	❑

piscina (la)
swimming pool

3 Now correct the false statements from the previous step.

Corrija las frases falsas.

Ejemplo

El Umbráculo es una plaza.

El Umbráculo no es una plaza; es un paseo.

Actividad 1.2 _____

In this activity you are going to use adjectives to describe buildings.

D

1 Here are some adjectives taken from the text. Translate them into English. Consult the Spanish section of the dictionary if you wish.

Traduzca.

cultural	metálica
espectacular	blanca
moderno	interactivo
audiovisuales	precioso
enorme	gigante

2 Match the words in the column on the left with their opposites in the column on the right.

Enlace las dos columnas.

(a)	grande, grande	(i)	negro, negra
(b)	moderno, moderna	(ii)	pequeño, pequeña
(c)	bonito, bonita	(iii)	antiguo, antigua
(d)	blanco, blanca	(iv)	feo, fea

ADJECTIVE ENDINGS (GENDER)

You will remember that an adjective changes according to whether the noun it refers to is masculine (e.g. *el edificio* – 'building') or feminine (*e.g. la casa* – 'house'):

el edifici**o** modern**o**

la cas**a** modern**a**

When adjectives refer to a masculine noun, they end in *-o*.

When they refer to a feminine noun, they end in *-a*.

However, adjectives that end in *-e* or in a consonant have the same form for both masculine and feminine nouns:

el país grand**e**   la plaza grand**e**

el complejo cultura**l**   la actividad cultura**l**

Actividad 1.3 🎧 _____

ADJECTIVE ENDINGS (NUMBER)

Adjectives also change their ending according to whether the nouns they accompany are singular or plural:

el edifici**o** modern**o**   **los** edificio**s** modern**os**

la cas**a** modern**a**   **las** casa**s** modern**as**

If the noun is plural, like *los edificios* or *las casas*, the adjective takes a plural ending. The plural of an adjective is formed by adding *-s* to a vowel ending or *-es* to a consonant:

las casa**s** pequeña**s**   **los** paíse**s** grande**s**

los complejo**s** cultural**es**   **las** actividade**s** espectacular**es**

To find out more about adjective endings, see the section *Adjectives: agreement* in the grammar book.

1   Complete the gaps using *-o, -a, -os, -as, -es,* as appropriate.

Complete las frases.

(a) La Catedral de Burgos es un edificio antigu___.

(b) El puente de Calatrava es una construcción modern___.

(c) La Sagrada Familia es una iglesia inacabad___.

(d) Las fiestas de Valencia son espectacular___.

(e) Los jardines del Turia son precios___.

(f) El Museo de las Ciencias "Príncipe Felipe" y el Hemisférico son edificios enorm___.

puente (el)
bridge

inacabado
unfinished

jardines (los)
gardens

2 Now listen to *Pista 37* and practise changing the adjective endings to make them agree with the nouns.

Escuche y participe.

Actividad 1.4

1 Look at the following pictures and write two sentences describing each building. Use the nouns and adjectives from the boxes below, and don't forget to put the appropriate endings! You can either use the construction *El edificio / El museo / La casa es…* or *Es un edificio / una casa / un museo…*

Construya frases.

Ejemplos

El museo es enorme.   Es un edificio educativo.

(a)

(b)

(c)

el edificio
el museo
la construcción
la casa

espectacular
cultural
enorme
grande
moderno
metálico
horrible
pequeño
antiguo
negro
blanco
precioso
educativo

2   To describe a building or a sight
    emphatically, an exclamation is
    used. (Note that, in Spanish, an
    upside-down exclamation
    mark also appears at the front
    of the phrase.)

Use some of the adjectives
you have seen to make exclamations
about *el complejo de la Ciudad de las Artes y las Ciencias.*

Describa.

Léxico básico

aeropuerto (el)	*airport*	cultural	*cultural*
antiguo	*old (a building, a piece of furniture)*	edificio (el)	*building*
		educativo	*educational*
blanco	*white*	feo	*ugly*
bonito	*pretty, nice*	grande	*big*
casa (la)	*house*	moderno	*modern*
centro comercial (el)	*shopping centre*	pequeño	*small*
ciudad (la)	*city*	precioso	*beautiful*
comercial	*commercial*		

Sesión 2
Monumentos y edificios famosos

In this session you are going to learn how to ask about different places of
interest in Spain, Chile and Uruguay: what they are, where they are and what
they look like.

Key learning points

•   Asking and answering where a monument or a building is

•   Describing a building

•   Using *estar* to indicate location

Actividad 2.1 🎧

1 Here are some pictures of famous monuments. Say whether you think they are in Latin America or in Spain. See how many you can guess.

Escriba dónde están los monumentos.

(a)

(b)

(c)

(d)

(e)

fachada (la)
front, façade

gente (la)
people

2   Listen to *Pista 38,* in which some people are being interviewed about different buildings and places in Valencia. Then complete the following table by ticking the adjectives mentioned. In most cases two adjectives are used. The first has been done for you.

Marque con una cruz.

	bonito	animado	festivo	antiguo	alto	grande
la plaza de toros	X					X
los bares (en Valencia)						
la estación (de tren)						
el campanario del Miguelete						
el Mercado Central						

3   Now write sentences based on the table you have just completed.

Escriba frases.

Ejemplo

La plaza de toros es bonita y grande.

Actividad 2.2

In this activity you are going to listen to two people being interviewed about monuments and sights in their country. You will also learn how to say where things are.

1   Listen to *Pista 39* and choose the correct option below.

Escoja la opción correcta.

(a) ¿Dónde está la Mezquita de Córdoba?

(i) Andalucía   (ii) Valencia   (iii) Galicia

(b) ¿Dónde está la Alhambra?

(i) Córdoba   (ii) Granada   (iii) Sevilla

(c) ¿Dónde está la Giralda?

(i) Granada   (ii) Sevilla   (iii) Córdoba

(d) ¿Dónde está Montevideo?

(i) Uruguay   (ii) Paraguay   (iii) Bolivia

(e) ¿Dónde está la Ciudadela?

(i) en el centro   (ii) en el este   (iii) en el barrio de Priépolis

ASKING WHERE A PLACE IS

To ask where a place is, use the interrogative pronoun *dónde* (where) and the verb *estar*. (Note that an upside-down question mark also appears at the front of the phrase.)

¿Dónde está(n) + (noun)?	Está(n) en + (place)
¿Dónde está la Giralda?	Está en Sevilla.
¿Dónde están las ruinas romanas?	Están en Mérida.

ESTAR

(yo)	estoy	(nosotros, -as)	estamos
(tú)	estás	(vosotros, -as)	estáis
(él/ella/usted)	está	(ellos/ellas/ustedes)	están

To say 'towards', use *hacia*:

Zaragoza está hacia el este de España.

To say how near or far somewhere is, use *está cerca (de)* ('it's near (to)') or *está lejos (de)* ('it's far (from)'):

Córdoba está cerca de Sevilla.

Montevideo está lejos de México D.F.

detrás de
behind

2 Read the transcript of *Pista 39* and complete the following table.
Complete.

¿Cómo se llama?	¿Dónde está?
La Mezquita	Córdoba
...	...

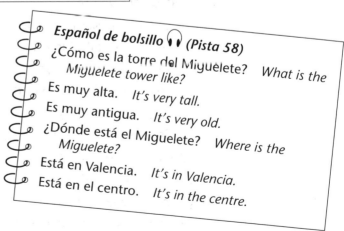

Español de bolsillo 🎧 (Pista 58)

¿Cómo es la torre del Miguelete?   What is the Miguelete tower like?

Es muy alta.   It's very tall.

Es muy antigua.   It's very old.

¿Dónde está el Miguelete?   Where is the Miguelete?

Está en Valencia.   It's in Valencia.

Está en el centro.   It's in the centre.

Actividad 2.3

In this activity you are going to practise asking where different places in Valencia are and what they look like. A guide takes Patricio Bustos, the architect, around the city while he asks about the sights.

Read the brochure opposite about Valencia and complete the dialogues by writing the questions to the answers provided. Use the questions *¿Dónde está(n)...?*, *¿Cómo es/son...?* and *¿Qué es/son...?*

Lea y complete los diálogos.

Ejemplo
El Miguelete

¿Qué es el Miguelete?

Es la torre de la catedral.

¿Cómo es?

Es muy antigua.

¿Dónde está?

Está en el casco antiguo.

(a) **El Paseo de la Alameda**

¿ _____ ?

Es un paseo ajardinado con unas fuentes.

¿ _____ ?

¡En el Paseo de la Alameda!

(b) **La Estación del Norte**

¿ _____ ?

Es una estación de tren.

¿ _____ ?

Es modernista.

¿ _____ ?

En la calle Játiva.

(c) **Las Torres de Pere Quart**

¿ _____ ?

Son unas torres medievales.

¿ _____ ?

En el casco antiguo.

¿ _____ ?

Son góticas.

(d) **El Mercado Central**

¿ _____ ?

Un mercado.

¿ _____ ?

Es modernista.

The words *qué* and *cómo* are very useful for asking questions about new places. If you don't know what a place is or what it is used for, use *¿qué es?* If you want to know what it looks like, use *¿cómo es?*

Valencia

Ciudad Mediterránea

El Miguelete
Es la torre de la catedral. Es muy antigua, del siglo XIV. Está en el casco viejo.

Las Torres de Pere Quart
Son unas torres medievales góticas. Están en el casco antiguo.

La Estación del Norte
Estación de tren de estilo modernista. Está en la calle Játiva.

El Paseo de la Alameda
Paseo ajardinado bellísimo con dos fuentes del siglo XIX.

El Mercado Central
Mercado de estilo modernista.

Actividad 2.4 🎧 _____

Listen to *Pista 40* and do the exercise.

Escuche y participe.

Léxico básico

alto	*tall, high*	estación (de tren) (la)	*(railway) station*
animado	*lively*	gótico	*gothic*
campanario (el)	*bell tower*	medieval	*medieval*
casco viejo (el) / casco antiguo (el)	*old quarter*	mercado (el)	*market*
		modernista	*modernist*
catedral (la)	*cathedral*	torre (la)	*tower*

Sesión 3
Visita a Santiago y Montevideo

In this session you are going to find some famous public places by following simple instructions.

Key learning points
- Prepositional phrases
- Prepositions of place
- Reviewing the verb *estar* to indicate location

Actividad 3.1 _____

In this activity you are going to review some of the vocabulary that you have learned about tourist sights, as well as learn some new words.

Classify the vocabulary in the box under the following two categories.

Clasifique.

> catedral • avenida • calle • iglesia • polideportivo • puente • parque • barrio • plaza

Monumentos y edificios	Lugares
...	...

Actividad 3.2

In this activity you are going to learn the most common prepositions and prepositional phrases used to indicate location.

INDICATING LOCATION

Prepositions of place are used to indicate location. Two of the most useful of these prepositions are *en* ('in') and *entre* ('between'):

> La Plaza de Armas está **en** el centro.

> El polideportivo está **entre** la calle Mayor y la avenida Goya.

Location is also indicated by prepositional phrases (a combination of two or more words which function as a preposition) such as *detrás de* ('behind'), *delante de* ('in front of'), *enfrente de* ('opposite'), *al lado de* ('next to'):

> El hospital está **detrás de** la universidad.

> El hotel está **enfrente de** la catedral.

To find out more about prepositions of place, see the section *Prepositions* in the grammar book.

---

1   Read the following sentences carefully and complete the map by writing where each building is situated. All the buildings are around the cathedral.

Complete el mapa.

El parque está delante de la catedral. El hospital está al lado del parque. La escuela está en la calle Mayor al lado de la catedral. El polideportivo está entre la calle Mayor y la avenida Goya. El ayuntamiento está al lado del polideportivo en la calle Mayor. La oficina de turismo está al lado del parque en la avenida Goya. El museo está enfrente de la oficina de turismo. Mi casa está detrás del museo y al lado del polideportivo.

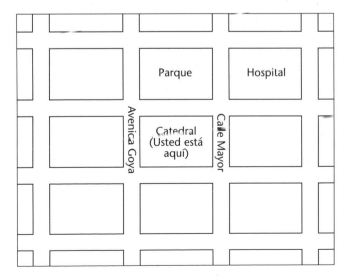

2   Complete the following sentences with the
    correct combination of preposition and article.

    Complete las frases.

> a + el → al
> de + el → del

(a) La escuela está _____ lado _____
    museo.

(b) El hospital está _____ lado _____ escuela.

(c) La iglesia está _____ lado _____ hospital y el supermercado.

(d) El polideportivo está enfrente _____ parque.

(e) El ayuntamiento está enfrente _____ catedral.

Actividad 3.3

Look at the map of South America on page 59 (unit 1, session 5.1, *Clave*). Then complete the following description using *al lado de*, *y* and *entre*.

Mire el mapa y complete el texto.

Chile está _____ Argentina. Argentina está _____ Chile _____ Uruguay. Uruguay está _____ Brasil _____ Argentina. Bolivia está _____ Perú, Brasil, Paraguay _____ Chile. Ecuador está _____ Colombia _____ Perú. Venezuela está _____ Colombia.

Actividad 3.4 🎧

Isabel, the Spanish theatre director of the group *Expresiones*, decides to take some time off to see the sights of Santiago.

Go to *Pista 41* and listen to what the guide says about three different places in Santiago. Then look at the places marked (a), (b) and (c) on the map opposite and decide which they are. Choose from: Mercado Central; Casa Colorada; Catedral y Palacio del Arzobispo.

Escuche, mire y decida.

Español de bolsillo 🎧 *(Pista 59)*

Está al lado del Ayuntamiento.   *It's next to the Town Hall.*

Está enfrente de las tiendas.   *It's opposite the shops.*

Está cerca del Mercado Central.   *It's near the Mercado Central.*

Está lejos de aquí.   *It's a long way from here.*

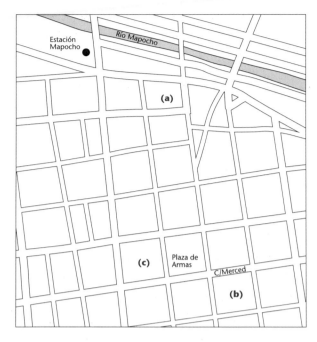

Actividad 3.5

Heidi, one of the members of the theatre group *Expresiones*, has gone on a trip to Montevideo, in Uruguay. A friend of hers there, Javier, is letting her stay in his flat. He has left her a note recommending some of the sights in the city. Complete the gaps in his message using the words and phrases from the box. Look up any words you don't know in the dictionary.

Complete el mensaje.

gira   otro lado

al final de

cerca de

lado de

gira
turn

parrilla (la)
here, *grilled fish*

medio y medio
(el)
literally, *half
and half; a
mixture of white
and sparkling
wines*

Hola Heidi,

¡Montevideo es preciosa! Tiene unas avenidas y unos edificios muy bonitos y antiguos. Te recomiendo la Plaza de la Constitución, la plaza más antigua de Montevideo, en el casco antiguo. A un _____ la plaza está El Cabildo, el Museo Histórico y Archivo Municipal, y al _____ está la Iglesia Matriz. _____ allí está la Plaza Zabala. _____ la calle Solís está la Rambla con unas vistas al mar espectaculares. _____ a la izquierda y allí está el Mercado del Puerto, un sitio ideal para comer una parrilla y tomar un "medio y medio".
Besos,
Javier

MONTEVIDEO

Montevideo was founded in 1726 and many of its early residents were from the Canary Islands. As the capital of Uruguay, it dominates the country's political, economic and cultural life. Montevideo developed around its port, one of the most important in the Southern Cone. It experienced a construction boom in the early 19th century, when some of the original buildings of the 1720s, such as El Cabildo and the Iglesia Matriz, were remodelled.

Léxico básico

ayuntamiento (el)	*town hall*	polideportivo (el)	*sports centre*
escuela (la)	*school*	puente (el)	*bridge*
hospital (el)	*hospital*	sitio (el)	*place*
oficina de turismo (la)	*tourist office*	supermercado (el)	*supermarket*
palacio (el)	*palace*	tienda (la)	*shop*

Sesión 4
Espacios públicos

In this session you are going to find out about everyday activities in the Hispanic world, and get to know the most popular places to go.

Key learning points

*   Saying where you are going
*   Using *ir + a*: '*Voy a...*'
*   Vocabulary relating to public places

Actividad 4.1

Here are three popular places to go in the Hispanic world.

Do they look different from the same type of place you would find in your country? In what way are they different? Write in English.

Observe y escriba en inglés.

(a) el cibercafé

(b) el parque

(c) el bar

Actividad 4.2 🎧

Patricio, the architect from Chile, is working in Valencia. He has a busy schedule.

1   Read the following e-mail message with his diary, as sent to his secretary.
    Put the different places listed into the order he is visiting them.
    Ordene.

Mañana
09:00 banco
10:00 ✈ visita de un colega de Sevilla
14:00 restaurante El Mejillón
Tarde
15:30 Ayuntamiento, ¡cita con alcalde!
16:00 🏥
18:00–20:00 oficina

(a) el aeropuerto

(b) la oficina

(c) el banco

(d) el Ayuntamiento

(e) el restaurante

(f) el hospital

SAYING WHERE YOU ARE GOING

To say where someone is going, use the verb *ir* ('to go') followed by the preposition *a* ('to').

Note that the verb *ir* is irregular (i.e. it does not follow a regular pattern).

IR			
(yo)	voy	(nosotros, -as)	vamos
(tú)	vas	(vosotros, -as)	vais
(él/ella/usted)	va	(ellos/ellas/ustedes)	van

Voy a la oficina. (yo)
¿Adónde **vas**? (tú)
Juan **va** al bar. (él)
¿Adónde **vamos**? (nosotros)

If you are going somewhere relatively far away, like another city or country, you can also use the verb *viajar* ('to travel'):

¿Adónde viajas? Viajo a Madrid.

To find out more about talking about immediate plans, see the section *The future tense: the immediate future* in the grammar book.

G

2 Now Patricio is at the airport picking up his colleague. Listen to *Pista 42* and note down where the other people interviewed are going.

Escuche y escriba.

Ejemplo
(a) Sevilla.

3 Nobody is working in the office today. Fill in the blanks with the correct form of *ir a*. You may have to contract the preposition *a* with the article *el* to give *al*.

Complete las frases.

mandar
to send

correo
electrónico (el)
e-mail

buscar
to look for, to pick up

(a) (yo) _____ el cibercafé, a mandar un correo electrónico.

(b) María y Cristina _____ el restaurante con un cliente.

(c) Raquel, Miguel y yo _____ el hospital a visitar a un amigo.

(d) Olga, Antonio y tú _____ Correos a buscar unos paquetes.

(e) Inma _____ el parque con su hija.

(f) Concha y Pedro _____ el aeropuerto a buscar a un colega.

Actividad 4.3

1   Here are three smileys representing different moods. Match each of them
    with the places that you most associate with those moods. There is no
    'right' answer.

   Enlace.

   el bar   el hospital

   el parque   el hipermercado

   la oficina   el aeropuerto

   el cine   el restaurante

   el cibercafé

2   Complete the table to say where you are going at the times mentioned.
    The smileys show your mood, and may give you a clue for a possible
    answer.

   Complete la tabla.

¿Adónde va usted?

Hora		Lugar
09:00h	☹	*Voy a la oficina.*
14:00h	☺	
17:00h	☹	
20:00h	☺	
21:00h	☺	

Actividad 4.4 🎧

Now listen to *Pista 43* and do the exercise.

Escuche y participe.

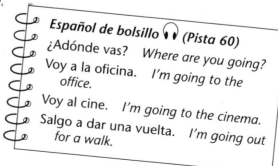

Español de bolsillo 🎧 *(Pista 60)*

¿Adónde vas?   Where are you going?

Voy a la oficina.   I'm going to the office.

Voy al cine.   I'm going to the cinema.

Salgo a dar una vuelta.   I'm going out for a walk.

Actividad 4.5

Write questions appropriate to the following situations. Make sure you use the appropriate form of the verb.

Escriba preguntas.

(a) Somebody starts leaving the house unexpectedly. What do you ask?

(b) You are a museum porter and have been instructed to make sure that people know where they are going. What do you ask?

(c) You need a lift out of town. You notice that some of your friends are heading towards their car. What do you ask?

En pocas palabras

Using grammatical information in the dictionary

Your dictionary is very useful for finding out which grammatical category a word belongs to. For example, the entry for *precioso* reads as follows:

precioso ADJETIVO
beautiful *¡Es precioso!* It's beautiful!

The entry tells you that *precioso* is an *adjetivo,* in English an adjective, and that it therefore describes a noun. If you want to know more about what the different grammatical categories are, read the information at the beginning of your dictionary under 'Parts of speech'.

Look up the following words in your dictionary and complete the table with the missing information. The first has been done for you.

Complete la tabla.

Headword	Grammatical category	A Spanish example
precioso	adjetivo *(adjective)*	¡Es precioso!
bonito		
un, una		
tener		
en		
muy		
oficina		

Word clusters

Which of the following adjectives go with the nouns below? Cross the odd one out. The first has been done for you.

Tache el intruso.

Sustantivo	Adjetivo
iglesia	grande • preciosa • ~~animada~~ • antigua
aeropuerto	moderno • grande • feo • gótico
restaurante	animado • agradable • moderno • metálico
bar	enorme • antiguo • comercial • céntrico
parque	blanco • grande • bonito • precioso

Léxico básico

banco (el)	bank (also: bench)	hipermercado (el)	hypermarket
bar (el)	bar (establishment)	oficina (la)	office
cibercafé (el)	cyber café, internet café	parque (el)	park
cine (el)	cinema	restaurante (el)	restaurant
Correos	post office		

Sesión 5
Un bar en La Habana

In this session you are going to have a closer look at a popular meeting place in the Hispanic world.

Key learning points

- Describing a place
- Use of *hay / no hay*
- The indefinite articles: *un, una, unos, unas*

Actividad 5.1

1   Look at this photo of a bar in Havana, Cuba. What can you see? Below it is a list of objects, some of which appear in the photo. Tick the ones you can see. Look up the words you don't understand in the dictionary.

Marque con una cruz.

ventilador (el)
fan

máquina
tragaperras
(la)
slot machine

actuación en
vivo (la)
*live
performance/
concert*

(a) el taburete	☐	(g) la máquina tragaperras	☐
(b) el televisor	☐	(h) la barra	☐
(c) la actuación en vivo	☐	(i) el billar	☐
(d) el ventilador	☐	(j) los periódicos	☐
(e) las tapas	☐	(k) el equipo de música	☐
(f) las bebidas	☐	(l) el sofá	☐

2   Read the following description from a Havana guide book. What kind of place do you think it is? Choose one option.

Lea y escoja una opción.

> ## Benny Moré
>
> Uno de los locales con más estilo de La Habana. Está situado en el barrio de La Habana Vieja. De ambiente tradicional. Hay fotos del famoso músico de los años 50, Benny Moré. Por la noche hay una actuación de música en vivo y cócteles buenísimos. Y, por supuesto, también hay comida tradicional criolla.

comida (la)
food
también
also

(a) una discoteca

(b) un restaurante

(c) un polideportivo

3   Which phrase was used to describe what is in this place? Write down two examples.

Escriba dos ejemplos.

Ejemplo

"**Hay** *fotos del famoso músico de los años 50, Benny Moré*".

THERE IS / THERE ARE

The verb *haber* is used to express the idea 'there is' or 'there are'. There is only one form of the verb with this meaning: *hay*, which is why the form is the same in the singular and the plural.

Hay unas mesas.

Hay un ventilador.

No hay una máquina tragaperras.

Note the form of the indefinite article when only one object is mentioned (*un/una*) and when several objects are mentioned (*unos/unas*):

Hay **una** silla.

Hay **unos** sofás.

Actividad 5.2

1   Look at the following picture of a bar. Write down what you see, using the structure *hay + un/una*.

Observe y escriba.

2   Listen to *Pista 44* and do the exercise.

Escuche y participe.

pista de baile (la)
dance floor

juegos de mesa (los)
board games

Actividad 5.3

You are looking for a bar to hold a birthday celebration in. You see an advertisement.

1   Read the following advert from a magazine. Write down the words you don't understand and try to guess their meaning. Check your guesses in the dictionary. Would it be suitable for your celebration?

Escriba y compruebe.

MUGUMBA Habana

Viernes de la salsa.

★ Actuación en vivo.
★ Salón de comidas.
★ Ambiente agradable.
★ Pista de baile.

Complejo turístico La Migdalia

Reservaciones 33 05 68.

2 Complete the blanks to describe the bar Mugumba. Use the structure *hay + un/una*.

Complete el texto.

El bar se llama Mugumba Habana. _____ en vivo. _____ y _____. También _____. Es un bar muy animado.

Actividad 5.4

You have now found the perfect bar for your birthday celebration and you want to tell your friends about it. Read the following guide book entry about it and record yourself on your blank tape, saying what there is in the bar.

Lea y grábese en su cinta.

El chan chan

Este bar está situado en plena Habana Vieja, en la calle Aguacate.

Gran ambiente, cócteles variados.

Equipo de música de alta fidelidad.

Ventiladores, amplias mesas para grupos numerosos, cómodos sofás

Guardarropa.

---

de alta
fidelidad
high fidelity
guardarropa
(el)
cloakroom

Léxico básico

barra (la)	*bar (counter)*	pista de baile (la)	*dance floor*
bebida (la)	*drink*	silla (la)	*chair*
cafetería (la)	*café*	sofá (el)	*sofa*
equipo de música (el)	*hi-fi*	taburete (el)	*(bar) stool*
mesa (la)	*table*	televisor (el)	*television set*
periódico (el)	*newspaper*	ventilador (el)	*fan*

Sesión 6
El centro deportivo

You are now going to find out about another public place: a sports centre. You will also explore the differences in attitudes towards public places in Spanish-speaking countries and your own.

Key learning points

- Referring to location within a building
- Asking and answering questions about location

Actividad 6.1

Look at the following plan of a sports centre. Tick the facilities available from the list opposite.

Marque con una cruz.

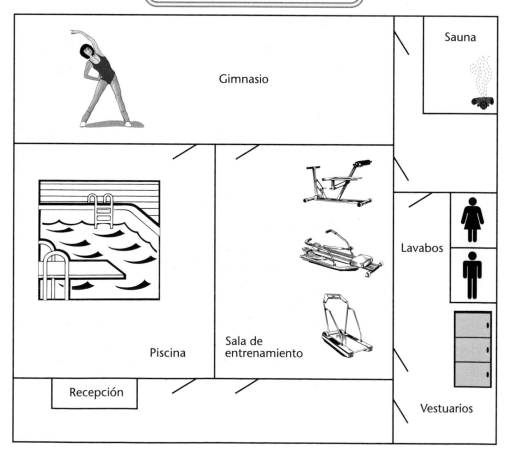

Polideportivo Indurain

Sauna

Gimnasio

Lavabos

Piscina

Sala de entrenamiento

Recepción

Vestuarios

(a) changing rooms	❑	(f) reception	❑
(b) sauna	❑	(g) sun-bed	❑
(c) gym	❑	(h) swimming pool	❑
(d) work-out room	❑	(i) toilets	❑
(e) squash	❑	(j) crèche	❑

Actividad 6.2 🎧

You decide to visit the sports centre to see the facilities for yourself. In the reception area, you overhear some conversations.

1 Listen to *Pista 45* and say which areas of the sports centre are mentioned by ticking the right options.

Escuche y marque con una cruz.

(a)	el gimnasio	❑	(c)	la sauna	❑
	la piscina	❑		la sala de entrenamiento	❑
	la recepción	❑		los vestuarios	❑
(b)	la oficina	❑	(d)	la piscina	❑
	los vestuarios	❑		la recepción	❑
	el gimnasio	❑		la sauna	❑

USE OF *SABER*

In order to express the idea 'to know (a fact/idea/concept)', Spanish uses the verb *saber*.

> Yo **sé** dónde está Marta.

> Yo no **sé** dónde está Marta.

> ¿**Sabes** mi nombre?

(Notice that this is different from the verb *conocer* which means 'to know (a person)' in the sense of 'to be acquainted with'.)

SABER			
(yo)	sé	(nosotros, -as)	sabemos
(tú)	sabes	(vosotros, -as)	sabéis
(él/ella/usted)	sabe	(ellos/ellas/ustedes)	saben

2   Now listen to *Pista 45* again and say whether Juana, one of the receptionists, knows where the different people are. Tick the boxes in the table, as appropriate.

Marque con una cruz.

	Yes, she knows	**No, she doesn't know (but guesses)**
Marta		
La monitora		
Mercedes y Teresa		

Actividad 6.3 🎧

You work as a receptionist in a gym. Somebody who has arranged to meet some friends there asks you whether you know where they are. Some of them have left you a note of where they are but some haven't.

1   Answer the following questions, using the information on the notes people have left you.

Responda a las preguntas.

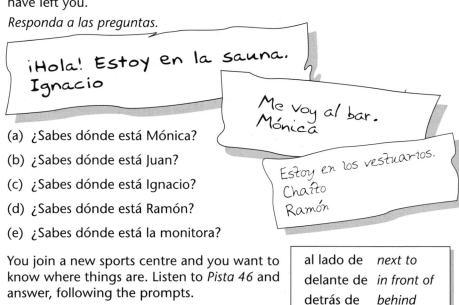

¡Hola! Estoy en la sauna.
Ignacio

Me voy al bar.
Mónica

Estoy en los vestuarios.
Chaíto
Ramón

(a) ¿Sabes dónde está Mónica?

(b) ¿Sabes dónde está Juan?

(c) ¿Sabes dónde está Ignacio?

(d) ¿Sabes dónde está Ramón?

(e) ¿Sabes dónde está la monitora?

2   You join a new sports centre and you want to know where things are. Listen to *Pista 46* and answer, following the prompts.

Escuche y responda.

al lado de	*next to*
delante de	*in front of*
detrás de	*behind*
entre	*between*
en	*in, on, at*

Español de bolsillo 🎧 (Pista 61)

¿Dónde está la monitora?   *Where is the instructor?*

No sé.   *I don't know.*

¿Está en el gimnasio?   *Is she in the gym?*

¿Sabes dónde está el gimnasio?   *Do you know where the gym is?*

Sí, está en el primer piso.   *Yes, it's on the first floor.*

3 Now record yourself on your blank tape asking different people where the following things are. Pay particular attention to the form of the verb, which will change according to whom you are addressing.

Grábese en su cinta.

Ejemplo

(tú) la piscina

¿Sabes dónde está la piscina?

(a) (usted) los vestuarios

(b) (ustedes) el bar

(c) (vosotros, -as) la sauna

(d) (tú) el gimnasio

E s p e j o C u l t u r a l _____

This activity will help you think about some of the possible differences between public places in Spain and Latin America, and in your own country.

1 Think of the different public places in Spain and Latin America that you have seen so far.

2 Link each of the following public places with as many adjectives as you feel appropriate from the box below. The choice of adjective is entirely subjective, and is designed to help you express your own attitudes towards these public places.

Enlace.

(a) museo

(b) parque

(c) bar

(d) estación de tren

(e) cibercafé

(f) polideportivo

ruidoso
noisy

tranquilo
quiet

relajante
relaxing

> precioso • moderno • caótico • tranquilo • animado •
> relajante • ruidoso • antiguo

3 Do you think you would have made the same word associations in step 2 if you were thinking of your own country?

4   Imagine you want to write an 'electronic postcard' to a travel guide website giving some tips for travelling to Valencia, Santiago de Chile, Montevideo and Havana. What would you say to your fellow travellers? Choose from the following phrases, taken from different websites, to write sentences about these cities.

Escriba frases.

Valencia es una ciudad…

Imprescindible ver…

De mi viaje a España recomiendo visitar…

En La Habana hay unos…

Para relajarse en el viaje, recomiendo ir a…

En Montevideo hay una…

Sobre todo, visitar…

Imprescindible ver…
Do not miss…

De mi viaje a…
From my visit to…

Para relajarse…
To relax…

Sobre todo…
Above all…

Léxico básico

aseos (los)	toilets		piscina (la)	swimming pool
caballeros (los)	gentlemen		recepción (la)	reception
conocer	to know (a person)		recomendar	to recommend
gimnasio (el)	gym		saber	to know (a fact/idea/concept)
lavabo (el)	toilets, sink			
monitora (la)	instructor (female)		sauna (la)	sauna
			vestuarios (los)	changing rooms

Sesión 7
Perdido en Barcelona

In this session you are going to look at people and places in Barcelona. You will find out how to talk about everyday actions and give directions.

Key learning points

*   Asking for and giving information about places

*   Giving directions

Actividad 7.1 🎧 _____

cargar
here, *to charge*

consultar
here, *to check*

saldo (el)
bank balance

cambiar
to change
(money)

cuenta
corriente (la)
current account

sello (el)
stamp

comprar
to buy

1   Here is a 'to do' list. Tick the things you think you could do in a bank in Spain.

Marque con una cruz.

(a) sacar dinero   ❑

(b) sacar entradas de teatro   ❑

(c) cargar el teléfono móvil   ❑

(d) mandar un correo electrónico   ❑

(e) consultar el saldo de la cuenta corriente ❑

(f) comprar tarjetas de autobús y metro   ❑

(g) comprar sellos   ❑

(h) cambiar dinero   ❑

2   Match the verbs in the column on the left with the corresponding phrases in the column on the right. The first has been done for you.

Enlace las columnas.

(a) sacar   (i)   un correo electrónico

(b) cargar   (ii)   el saldo de la cuenta corriente

(c) consultar   (iii)   dinero

(d) comprar   (iv)   el teléfono móvil

(e) sacar   (v)   una tarjeta de metro y bus

(f) mandar   (vi)   entradas de teatro

3   Now listen to *Pista 47*, where you will hear somebody asking for different things in a bank. Write each action under the appropriate counter below. It may be easier if you pause after each dialogue.

Escuche y escriba.

Ventanilla 1

Ventanilla 3

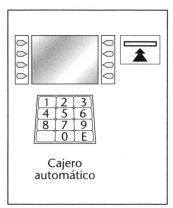

Cajero
automático

Actividad 7.2

In this activity you will learn how to give directions.

GIVING DIRECTIONS

Use the following verbs to give directions: *ir* ('to go'), *tomar* ('to take'), *seguir* ('to keep (straight) on'), *cruzar* ('to cross over') and *girar* ('to turn').

Vaya hasta el final de la calle. (Go to the end of the street.)

Tome la primera a la derecha. (Take the first on the right.)

Siga todo recto. (Keep straight on.)

Cruce la calle. (Cross the street.)

Gire a la izquierda. (Turn left.)

Use ordinal numbers (*primera, segunda, tercera,* etc.) to indicate which street to take.

la primera calle a la derecha

la segunda calle a la derecha

la tercera calle a la izquierda

To show whereabouts a building is in a street, you can talk about 'blocks': in Spain, the word for this is *manzana* and in Latin America, *cuadra*.

La Pedrera está en la tercera **manzana**.

El Cabildo está a dos **cuadras**.

1   Using the map, direct someone to the bank by putting the following sentences in the correct order, numbering them 1–5.

Ponga las frases en orden.

(a) gire a la izquierda ☐

(b) cruce la calle, y está allí ☐

(c) siga todo recto ☐

(d) después, tome la primera a la derecha ☐

(e) vaya hasta el final de la calle ☐

Banco de
Santander

2   Let's find a bank in Barcelona. Look at where you are on the map in relation
    to where the bank is. You are in Calle Fontanella, in front of the Telefónica
    building facing the Plaza Catalunya. Complete the sentences with the
    appropriate verbs.

Complete las frases.

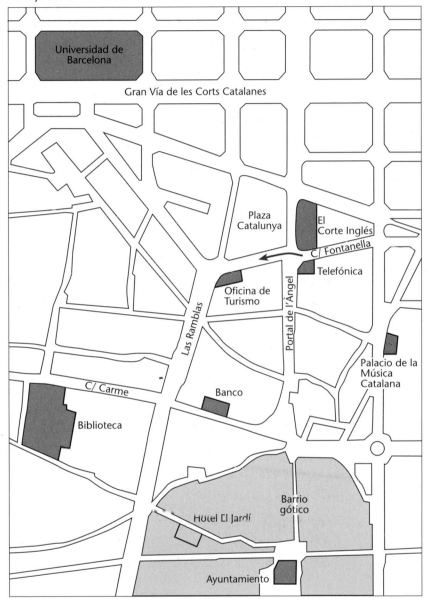

– ¿Hay un banco por aquí?

– Sí. Hay uno muy cerca. Vaya todo recto. Después (a) _____ la
segunda calle a la izquierda, se llama las Ramblas. (b) _____ todo
recto, (c) _____ la segunda a la izquierda y hay uno allí.

– ¡Muchas gracias!

Actividad 7.3 🎧

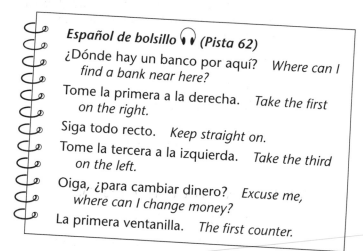

Español de bolsillo 🎧 *(Pista 62)*

¿Dónde hay un banco por aquí?   *Where can I find a bank near here?*

Tome la primera a la derecha.   *Take the first on the right.*

Siga todo recto.   *Keep straight on.*

Tome la tercera a la izquierda.   *Take the third on the left.*

Oiga, ¿para cambiar dinero?   *Excuse me, where can I change money?*

La primera ventanilla.   *The first counter.*

1   Listen to *Pista 48* and do the exercise. What are the next four phrases in the series?

Escuche y participe.

2   Now listen to *Pista 49* and follow the directions with your pen on this map. You are at the crossroads of Calle Joan Maragall and Avenida Colón, facing towards the supermarket and museum. Can you guess where the person has sent you?

Escuche y siga las instrucciones en el dibujo.

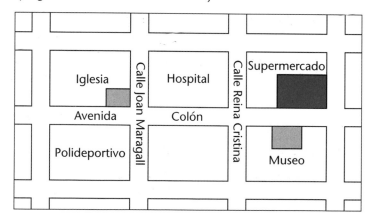

Actividad 7.4 🎧

You are now in a new city and want to find out about different things. Listen to *Pista 50* and do the exercise.

Escuche y pregunte.

Actividad 7.5

Again, you are in Calle Fontanella, in front of the Telefónica building. Several people come up to you for directions. Look at the map of Barcelona in *Actividad 7.2* (step 2) and answer them.

Observe y responda.

Ejemplo

¿Para ir a la Biblioteca de Catalunya?

Siga todo recto. Gire a la izquierda por las Ramblas y tome la cuarta calle a la derecha. Vaya todo recto y está a la izquierda.

(a) ¿Para ir al Corte Inglés?

(b) ¿Para ir al Palacio de la Música Catalana?

(c) ¿Para ir al Ayuntamiento?

(d) ¿Para ir a la Universidad de Barcelona?

(e) ¿Para ir a la oficina de turismo?

(f) ¿Para ir al hotel El Jardí?

Léxico básico

biblioteca (la)	*library*	sacar entradas	*to get ticket*
cajero automático (el)	*cash machine*	saldo (el)	*balance (of bank account)*
cambiar (dinero)	*to change (money)*	sello (el)	*stamp*
correo electrónico (el)	*e-mail*	tarjeta de autobús/ metro (la)	*bus/underground pass (fixed number of tickets)*
cuenta corriente (la)	*current account*	ventanilla (la)	*counter, box office (literally: little window)*
dinero (el)	*money*		
entrada de teatro (la)	*theatre ticket*		
sacar dinero	*to take out money*		

Sesión 8
Hoteles con alma

In this session you are going to talk about some city hotels in Havana, Valencia, Barcelona and Santiago de Cuba, and find out about their local amenities and suitability for tourism.

Key learning points

- Talking about location

- Indicating approximate time and distance

- Revision of adjectives

Actividad 8.1

In this activity you are going to find out about two hotels, one in Havana and one in Valencia, what they look like and where they are situated.

1   Look at the pictures of the two hotels. Decide which words and phrases from the box best describe each picture.

Describa los hoteles.

lujoso   *tranquilo*   **económico**   varias plantas

dos plantas   **decorativo**   *funcional*

caro   **bloque de pisos**

antiguo   *ruidoso*

cómodo   *moderno*   mansión

incómodo   barato

Hotel Espartano: hotel muy céntrico cerca de restaurantes y cafeterías

Hotel Santa Isabel: típica mansión colonial cerca del mar

2 Now look where they are situated on the maps. Write which streets they are in and their location in relation to other buildings.

Escriba dónde están los hoteles.

Hotel Espartano

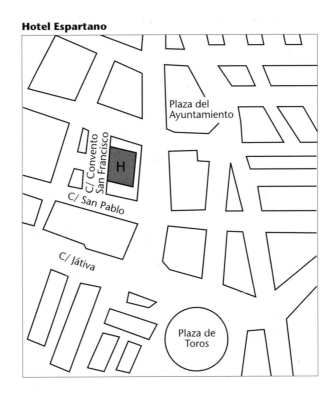

Hotel Santa Isabel

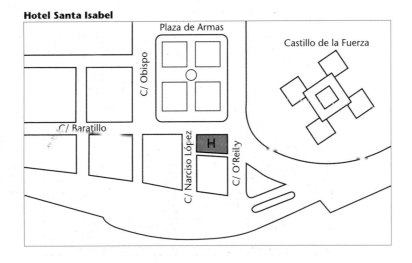

Actividad 8.2 🎧

In this activity you are going to find out about three hotels situated in the old part of Barcelona and around the Ramblas, one of the main arteries of the city. You will also become familiar with ways of talking about approximate distance to or from a place.

LAS RAMBLAS

The *rambla* is an urban feature virtually unique to Catalonia, and there is one in most Catalan towns. Originally, the Rambla of Barcelona was a seasonal river bed, the name deriving from an Arabic word for river bank, *ramla*. Different sections of the Rambla in Barcelona have different names, as one descends from Plaza Catalunya: Rambla de Canaletes, Rambla dels Estudis, Rambla de San Josep, Rambla dels Caputxins and Rambla de Santa Mónica. Hence the plural is often used – *Rambles* (Catalan) or Ramblas in Spanish and English.

(Adapted from *Time Out Barcelona Guide*, p. 50, Time Out Group Ltd)

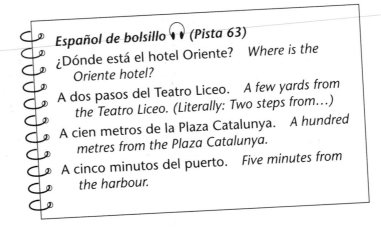

Español de bolsillo 🎧 *(Pista 63)*

¿Dónde está el hotel Oriente?   *Where is the Oriente hotel?*

A dos pasos del Teatro Liceo.   *A few yards from the Teatro Liceo. (Literally: Two steps from...)*

A cien metros de la Plaza Catalunya.   *A hundred metres from the Plaza Catalunya.*

A cinco minutos del puerto.   *Five minutes from the harbour.*

1   Listen to *Pista 51* where you will hear three advertisements for hotels in Barcelona. Then complete the table opposite. The following phrases may help you.

Escuche y complete.

afueras (las)
outskirts

pueblo (el)
village, town

Phrases for expressing distance and location		
a	dos pasos	del centro
	cinco minutos	de aquí
	tres calles	de la playa
en	pleno centro	de la ciudad
	el corazón	del pueblo
	las afueras	

	Proximity to city centre	Exact address
Hotel Duques de Bergara		
Hotel Oriente		
Hotel Rívoli		

2　Now listen to *Pista 52* and do the exercise.

Escuche y participe.

Actividad 8.3

In this activity you are going to find out about another interesting hotel, this time in Santiago de Cuba, which overlooks the house of Diego Velázquez, the first Spanish governor of Cuba.

DIEGO VELÁZQUEZ DE CUÉLLAR (1465–1524)

Velázquez became governor of Cuba in 1511, having conquered the island and founded Havana in that same year. He had first sailed to the Americas with Columbus, accompanying him on his expedition to the island of Española (Hispaniola, modern Dominican Republic and Haiti). As governor, he sent out several expeditions, including Cortés' to Mexico in 1519.

The Hotel Casa Granda in Santiago de Cuba is one of the most up-market hotels in Cuba and is right in the city centre. Listen to *Pista 53* and say where it is situated in relation to other buildings.

Escuche y participe.

Actividad 8.4

Write a wish list for your perfect hotel. You may want to refer to location, proximity to local amenities and type of building. Use the prompts below to start you off.

Lea y escriba.

　　Quiero un hotel...

en el campo
in the
countryside

cerca de... • en pleno centro • en las afueras •
en el campo • a diez metros de... • a dos pasos de... •
antiguo / moderno, etc. • enfrente de...

Enpocaspalabras

Vocabulary strategies: classifying vocabulary according to grammatical class

Classify the following vocabulary by placing the words in the appropriate columns. If you are unsure of what the grammatical terms mean, go to the section 'Parts of Speech' in the dictionary.

Ponga las palabras en el recuadro correspondiente.

> gimnasio • sacar • estar • dinero • funcional • lavabos • entre • recepción • saber • piscina • sauna • cómodo • vestuarios • tarjeta (de autobús) • en • cerca • soy

Nouns	Verbs	Adjectives	Adverbs	Prepositions

Diario hablado

Rearrange the following short dialogues, each of which contains fixed expressions that you have learned in this session, and read them out on your blank tape.

Ordene los diálogos y léalos en su cinta.

Ejemplo

En la Plaza de Armas / de la ciudad / ¿Dónde / en el corazón / está situado el Hotel Isabel?

¿Dónde está situado el Hotel Isabel? En la Plaza de Armas, en el corazón de la ciudad.

(a) A dos / ¿Dónde / pasos / está la Plaza de Armas? / del lugar donde se funda la villa de San Cristóbal de La Habana

(b) ¿Qué tipo / de los Condes de Santovenia / maravillosa / de edificio es? / Es una mansión

(c) ¿Y de qué / Está cerca / y edificios famosos / está cerca? / de monumentos

(d) ¿De qué edificios? / minutos del Cristo de La Habana / la Giraldilla y el Palacio de los Capitanes Generales / A cinco

Léxico básico

barato	*cheap*		incómodo	*uncomfortable*
bloque de pisos (el)	*block of flats*		lujoso	*luxurious*
caro	*expensive*		mansión (la)	*mansion*
cómodo	*comfortable*		planta (la)	*floor, storey*
decorativo	*decorative*		ruidoso	*noisy*
económico	*inexpensive*		tranquilo	*quiet*

Sesión 9
Repaso

This session is designed to help you revise the language that you have learned so far in this unit.

EL CÓMIC

Complete the dialogue with appropriate words and phrases.

Observe y escriba.

Alberto ¿Dónde estamos?
Eva Estamos aquí. _____ de la estación de tren. Voy a preguntar dónde _____ el museo.
Alberto No, no preguntes. ¡Tenemos un mapa!

Eva Aquí no hay un museo. No _____ edificios, no hay nada. ¡Estamos perdidos!
Alberto Sí, sí, está cerca de aquí. Es _____ recto y está al _____ de esta calle. ¡Venga!
Eva ¡Qué paciencia!

Eva Oiga, por favor, ¿ _____ ir al museo?
Alberto Eva, mujer, ¡pero si está _____ pasos de aquí!

EL PEDANTE

Here are two descriptions of famous buildings in Santiago de Chile. There are four incorrect adjective endings in each description. Correct them as appropriate.

Corrija los adjetivos.

Palacio Cousiño

rodeado de
surrounded by

Uno de los palacios más antiguas y bello de Santiago. Se construyó en el siglo XIX. Está al sur de la Alameda, cerca del Parque Almagro. Está rodeado de enorme y lindísimas jardines.

Mercado Central

Justo enfrente del famosos río Mapocho, se encuentra este linda mercado en el centro de Santiago de Chile. Allí hay unos puestos de frutas y verduras espectacularas y unos restaurantes muy agradable.

PLATO DE ESPAGUETIS

Find out which of the following words go together by following the spaghetti strands.

Busque los pares.

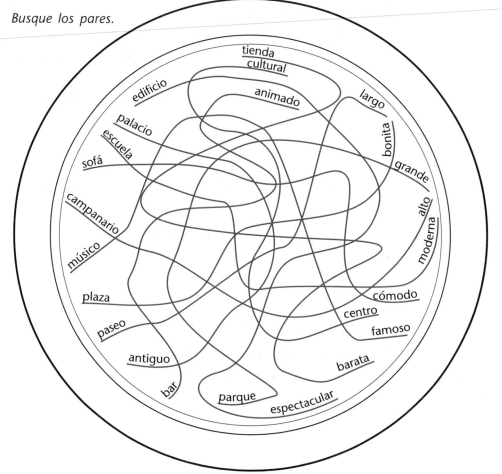

UNA IMAGEN VALE MÁS QUE MIL PALABRAS

Look at the following town plan and answer the questions about the relative positions of the different buildings.

Mire y conteste.

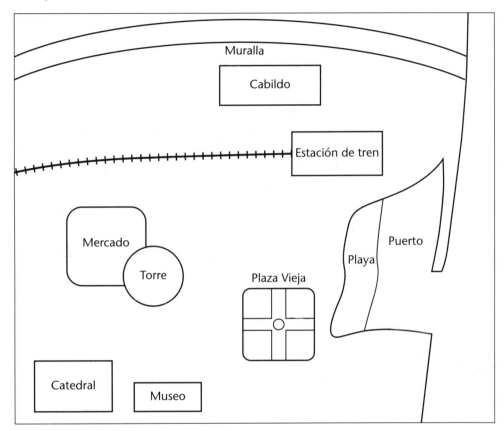

Ejemplo

¿Qué hay al lado de la catedral?

El museo.

(a) ¿Qué hay detrás de la torre?

(b) ¿Qué hay enfrente del cabildo?

(c) ¿Qué hay a la derecha de la playa?

(d) ¿Qué hay a dos pasos de la Plaza Vieja?

muralla (la)
town wall

(e) ¿Qué hay cerca de la muralla?

(f) ¿Qué hay al lado del museo?

CRUCIGRAMA

Complete the crossword. Which cities are the following buildings and districts in?

Complete.

Horizontales
3 La Alhambra (7)
6 El Miguelete (8)
7 El Museo Guggenheim (6)

Verticales
2 La Sagrada Familia (9)
1 El barrio Carrasco (10)
4 La Mezquita (7)
5 La Giralda (7)

MI GRAMÁTICA: *Adjetivos / Adjectives*

The singular

Give the rules for changing masculine singular adjectives to feminine, and give examples.

Escriba las reglas y dé ejemplos.

	Rule	Example
Ending in a vowel	-o changes to -a	bonito → bonita
Ending in a consonant		
Ending in -*e*		

The plural

Give the rules for forming plural adjectives from the singular forms.

Escriba las reglas y dé ejemplos.

	Rule	Example
Ending in a vowel	Adds -s	bonitos, bonitas
Ending in a consonant		
Ending in -*e*		

TEST CULTURAL

Read the following sentences about cultural facts that have appeared in this unit and tick the appropriate box to show whether they are true or false.

¿Verdadero o falso?

	Verdadero	Falso
(a) La Ciudad de las Artes y las Ciencias es un complejo cultural y educativo.	❑	❑
(b) Uno de los edificios más famosos de Santiago de Chile es El Cabildo.	❑	❑
(c) En Valencia no hay muchos edificios antiguos.	❑	❑
(d) En La Habana hay muchos bares con actuaciones de música.	❑	❑
(e) Una de las calles más importantes de Barcelona es las Ramblas.	❑	❑
(f) En Santiago de Cuba se puede visitar la casa del antiguo gobernador español en Cuba, Hernán Cortés.	❑	❑

EL CANCIONERO 🎧

It's time for another song. Read the following steps and do them in the order you prefer.

1   Go to *Pista 54* and listen to this popular children's song.
    Escuche la canción.

2   What phrases do you recognize? Read the transcript.
    Lea la transcripción.

3   Listen to the song again and sing along.
    Escuche otra vez la canción y cante.

DOCUMENTAL 🎧

Now you are going to listen to the second programme of the documentary series *En portada*. In this programme you are going to find out about *la Ciudad de las Artes y las Ciencias*.

Listen to *Pista 55* and answer the following questions.

Escuche y participe.

To help you answer the questions, follow these steps:

trabaja
works

¿Qué piensan?
What do they think?

- Read the questions, listen to the programme and make notes of key words.
- Listen to the programme again and add more information to your notes.
- Read the transcript while you listen again, then try to complete the questions.

(a) ¿Dónde está la Ciudad de las Artes y las Ciencias?

(b) ¿Cómo es el Museo de las Ciencias?

(c) ¿Quién es el arquitecto?

Sesión 10
¡A prueba!

This session consists of a self-assessment test which will give you an idea of the progress you have made throughout this unit. In the *Clave* you will find answers, explanations and revision tips.

Part A

Test your vocabulary

1   Cross out the incorrect option.

Tache la opción incorrecta.

(a) La iglesia es…

(i) gótica   (ii) blanca   (iii) cómoda

(b) La estación de tren es…

(i) moderna   (ii) festiva   (iii) antigua

(c) En este bar hay…

(i) una pista de baile   (ii) unos sillones   (iii) un campanario

(d) En el polideportivo hay…

(i) unos vestuarios   (ii) un ayuntamiento   (iii) unos lavabos

(e) ¿Oiga, para sacar…?

(i) entradas de teatro   (ii) dinero   (iii) sellos

2   Cross the odd one out.

Tache la palabra intrusa.

(a) hospital • oficina • restaurante • dinero

(b) taxi • autobús • tren • aeropuerto

(c) cuenta corriente • saldo • tarjeta de crédito • sello

(d) campanario • catedral • iglesia • mercado

(e) barra • taburete • televisor • ventanilla

Test your grammar

1   Complete the following sentences using appropriate adjectives from the box. Make sure that the endings are correct too. More than one answer is possible in each case.

Complete las frases con la forma apropiada del adjetivo.

famoso • europeo • interesante • inacabado

(a) La Sagrada Familia es una iglesia _____.

(b) Las salas de la Ciudad de las Ciencias y las Artes son muy _____.

(c) Los monumentos públicos normalmente son a personalidades _____.

(d) Chile es un país latinoamericano muy _____.

2   Give the adjectives their correct endings.

Complete el texto.

Dos edificios muy diferentes

El primero es un edificio alt___ . En la primer___ planta hay unas oficinas. En la segunda planta hay salas muy grand___ y ruidosas. También hay un bar, con unos sillones muy cómod___ y unos ventiladores de estilo colonial. Enfrente de este edificio, hay una casa antigua y muy bonit___ .

3   Change the verbs in the following sentences to correspond with the forms in brackets.

Transforme las frases.

(a) (nosotros) Voy a la oficina.

(b) (vosotros) Vas al cine.

(c) (ellos) Va al supermercado.

(d) (yo) Sabemos dónde está Marta.

(e) (tú) ¿Sabéis dónde está la monitora?

4   Write sentences with *estar* based on the following information.

Construya frases.

Ejemplo
María / Sevilla
María **está en** Sevilla.

(a) La Alhambra / Granada

(b) Las ruinas aztecas / México

(c) El barrio Carrasco y la Plaza Zabala / Montevideo

(d) Nosotros / Cuba

(e) Patricio y la familia de Isabel / Valencia

Part B

Test your reading skills

Read the following text and say whether the statements after it are true or false.

¿Verdadero o falso?

La Serena, Chile, es una ciudad preciosa y la segunda ciudad más antigua de Chile. Está en la costa del Océano Pacífico, en el norte de Chile. Es la capital de la región de Coquimbo. Hay muchas iglesias y muchas torres. En el centro de la ciudad los edificios son elegantes construcciones de estilo colonial. También tiene una playa bonita y en verano hay muchos turistas chilenos y argentinos. En la Plaza de Armas se encuentran los edificios oficiales, la catedral y la oficina de correos. El mercado de la Recova y sus restaurantes de mariscos están a solo diez minutos de la plaza.

	Verdadero	Falso
(a) Todas las casas son modernas y no hay edificios antiguos.	☐	☐
(b) Es una ciudad universitaria en el sur de Chile.	☐	☐
(c) El mercado está cerca de la Plaza de Armas.	☐	☐

Part C

Test your writing skills

Look at this photograph of La Serena. Describe what you see, using the prompts below.

Observe y describa.

(a) ¿Qué hay en la calle?

(b) ¿Cómo es el edificio?

Part D 🎧

Test your communicative skills

1   You are at the Hotel Francisco Aguirre in La Serena. Listen to *Pista 56* and
    follow the directions given by the receptionist to find the following places.
    Mark them on the map with the numbers 1 to 4.

Escuche y siga las indicaciones.

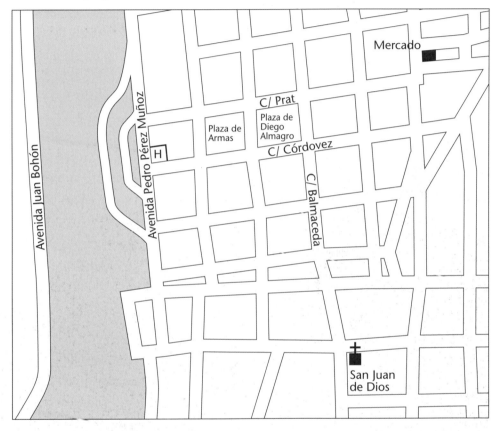

(a) La catedral (1)

(b) La Iglesia de Santo Domingo (2)

(c) El Parque Pedro de Valdivia (3)

(d) El hospital (4)

2   Now you are in one of the restaurants in the market and a stranger asks you
    how to get to the Plaza de Armas. Give her directions.

Responda.

Clave

Actividad 1.1

1 (d).

2 (a) Verdadero, (b) Falso, (c) Falso, (d) Falso.

3 El Hemisférico no es un museo; es un edificio destinado a espectáculos audiovisuales.

   El Oceanográfico no es una piscina; es un acuario gigante.

Actividad 1.2

1 Here is a possible answer:

   cultural *cultural*, espectacular *spectacular*, moderno *modern*, audiovisuales *audiovisual*, enorme *enormous*, metálica *metallic/metal*, blanca *white*, interactivo *interactive*, precioso *beautiful*, gigante *gigantic*

2 (a) – (ii) grande – pequeño; (b) – (iii) moderno – antiguo; (c) – (iv) bonito – feo; (d) – (i) blanco – negro.

Actividad 1.3

1 (a) La Catedral de Burgos es un edificio antiguo.

   (b) El puente de Calatrava es una construcción moderna.

   (c) La Sagrada Familia es una iglesia inacabada.

   (d) Las fiestas de Valencia son espectaculares.

   (e) Los jardines del Turia son preciosos.

   (f) El Museo de las Ciencias "Príncipe Felipe" y el Hemisférico son edificios enormes.

Actividad 1.4

1 Here is a possible answer:

   (a) Es un edificio enorme. Es una construcción moderna. El edificio es horrible.

   (b) Es un museo espectacular. Es una construcción metálica. El museo es precioso.

   (c) Es una construcción antigua. Es un edificio espectacular. Es una casa preciosa.

2 Here is a possible answer:
   ¡Qué moderno! ¡Es horrible! ¡Es enorme!

Actividad 2.1

1 (a) Seville, Spain (La Giralda).

   (b) Granada, Spain (La Alhambra).

   (c) Barcelona, Spain (La Sagrada Familia).

   (d) Santiago, Chile (La Casa de la Moneda).

   (e) Montevideo, Uruguay (El Cabildo).

2 La plaza de toros: bonita, grande.
   Los bares (en Valencia): animados, festivos.
   La estación (de tren): antigua.
   El campanario del Miguelete: alto, grande.
   El Mercado Central: grande.

3 Here is a possible answer:

   Los bares en Valencia son animados y festivos. La estación de tren es antigua. El campanario del Miguelete es alto y grande. El Mercado Central es grande.

Actividad 2.2

1 (a) – (i), (b) – (ii), (c) – (ii), (d) – (i), (e) – (i).

2

¿Cómo se llama?	¿Dónde está?
La Alhambra	Granada
La Giralda	Sevilla
El barrio Carrasco	Hacia el este de Montevideo
El Cabildo	Detrás del barrio antiguo, Montevideo
La Ciudadela	En el centro de Montevideo

Actividad 2.3

(a) ¿Qué es el Paseo de la Alameda? ¿Dónde está?

(b) ¿Qué es la Estación del Norte? ¿Cómo es? ¿Dónde está?

(c) ¿Qué son las Torres de Pere Quart? ¿Dónde están? ¿Cómo son?

(d) ¿Qué es el Mercado Central? ¿Cómo es?

Actividad 3.1

Monumentos y edificios: iglesia, catedral, polideportivo, puente.

Lugares: calle, avenida, plaza, barrio, parque.

Actividad 3.2

1

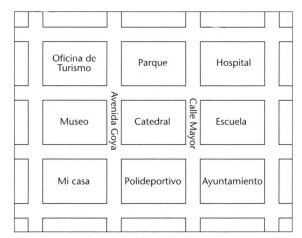

2 (a) La escuela está **al** lado **del** museo.

(b) El hospital está **al** lado **de la** escuela.

(c) La iglesia está **al** lado **del** hospital y el supermercado.

(d) El polideportivo está enfrente **del** parque.

(e) El ayuntamiento está enfrente **de la** catedral.

Actividad 3.3

Chile está **al lado de** Argentina. Argentina está **entre** Chile y Uruguay. Uruguay está **entre** Brasil y Argentina. Bolivia está **entre** Perú, Brasil, Paraguay y Chile. Ecuador está **entre** Colombia y Perú. Venezuela está **al lado de** Colombia.

Actividad 3.4

(a) Mercado Central, (b) Casa Colorada, (c) Catedral y Palacio del Arzobispo.

Actividad 3.5

Hola Heidi,

¡Montevideo es preciosa! Tiene unas avenidas y unos edificios muy bonitos y antiguos. Te recomiendo la Plaza de la Constitución, la plaza más antigua de Montevideo, en el casco antiguo. A un **lado de** la plaza está El Cabildo, el Museo Histórico y Archivo Municipal, y al **otro lado** está la Iglesia Matriz. **Cerca de** allí está la Plaza Zabala. **Al final de** la calle Solís está la Rambla con unas vistas al mar espectaculares. **Gira** a la izquierda y allí está el Mercado del Puerto, un sitio ideal para comer una parrilla y tomar un "medio y medio".

Besos, Javier

Actividad 4.1

You may have written that these places look remarkably similar to the places you are used to in your own country. Or you might have written that the park looks slightly different because in Britain there are larger areas of grass to play on, and that the bar is more like a continental-style café–restaurant than the traditional British pub. In Spain, these places are usually open to everybody. Cafés, bars and parks are widely regarded as meeting places, and hence are all regarded as *espacios públicos*.

Actividad 4.2

1 The correct order is: (c), (a), (e), (d), (f), (b).

2 (b) Palma de Mallorca, (c) Madrid, (d) Palma de Mallorca, (e) Barcelona.

3 (a) (yo) **Voy al** cibercafé, a mandar un correo electrónico.

(b) María y Cristina **van al** restaurante con un cliente.

(c) Raquel, Miguel y yo **vamos al** hospital a visitar a un amigo.

(d) Olga, Antonio y tú **vais a / van a** Correos a buscar unos paquetes. (Note that the *vosotros* form (e.g. *vais*) is not used in Latin America, where *ustedes* is preferred.)

(e) Inma **va al** parque con su hija.

(f) Concha y Pedro **van al** aeropuerto a buscar a un colega.

Actividad 4.3

1 Here is a possible answer. Yours may be very different!

☺ : el bar, el cine, el cibercafé

☺ : el parque, el restaurante

☹ : la oficina, el hospital, el hipermercado, el aeropuerto

2 Here is a possible answer:

¿Adónde va usted?

Hora		Lugar
09:00h	☹	Voy a la oficina.
14:00h	☺	Voy al bar.
17:00h	☹	Voy al hipermercado.
20:00h	☺	Voy al cine.
21:00h	☺	Voy al restaurante.

Actividad 4.5

(a) ¿Adónde vas?

(b) ¿Adónde va? / ¿Adónde van?

(c) ¿Adónde vais? / ¿Adónde van?

Enpoca**s**palab**ras**

Using grammatical information in the dictionary

Headword	Grammatical category	A Spanish example
precioso	adjetivo (*adjective*)	¡Es precioso!
bonito	adjetivo (*adjective*)	una casa muy bonita
un, una	artículo (*article*)	una silla
tener	verbo (*verb*)	Tengo dos hermanas.
en	preposición (*preposition*)	Viven en Granada.
muy	adverbio (*adverb*)	Mi pueblo es muy bonito.
oficina	sustantivo (*noun*)	la oficina de turismo

Word clusters

aeropuerto: gótico; restaurante: metálico; bar: comercial; parque: blanco.

Actividad 5.1

1 (a), (d), (f), (h).

2 (b).

3 "... **hay** una actuación de música en vivo y cócteles buenísimos".

"... **hay** comida tradicional criolla".

Actividad 5.2

1 Here is a possible answer:

Hay una barra. Hay una terraza. Hay un camarero. Hay un sofá. Hay unas mesas. Hay una máquina de café. Hay unos periódicos. Hay un equipo de música. Hay unos taburetes.

Actividad 5.3

1 Here is a possible answer:

Some of the words you may not have understood are: *Mugumba* (a proper name), *viernes* (Friday), *salón de comidas* (dining room), *ambiente agradable* (pleasant atmosphere) and *complejo turístico* (tourist centre).

You may have decided it was suitable for your celebration as it has both a place for dining and for dancing and the atmosphere is pleasant.

2 Here is a possible answer:

El bar se llama Mugumba Habana. **Hay una actuación** en vivo. **Hay un salón de comidas** y **un ambiente agradable**. También **hay una pista de baile**. Es un bar muy animado.

Actividad 5.4

Here is a possible answer:

Hay un gran ambiente.

Hay unos cócteles variados.

Hay un equipo de música de alta fidelidad.

Hay unos ventiladores.

Hay unas amplias mesas.

Hay unos sofás cómodos. / Hay unos cómodos sofás. (*Note that adjectives in*

Spanish normally follow the noun. In the advertisement, the order was reversed for stylistic reasons.)

Hay un guardarropa.

Actividad 6.1

(a), (b), (c), (d), (f), (h), (i).

Actividad 6.2

1 (a) la piscina, la recepción; (b) el gimnasio; (c) los vestuarios; (d) la recepción.

2

	Yes, she knows	No, she doesn't know (but guesses)
Marta		✗
La monitora		✗
Mercedes y Teresa	✗	

Actividad 6.3

1 (a) Sí, está en el bar.

(b) No, no sé.

(c) Sí, está en la sauna.

(d) Sí, está en los vestuarios.

(e) No, no sé.

3 (a) ¿Sabe dónde están los vestuarios?

(b) ¿Saben dónde está el bar?

(c) ¿Sabéis dónde está la sauna?

(d) ¿Sabes dónde está el gimnasio?

E s p e j o Cultural

1 So far in this unit you have seen a few 'public' places, for example *la estación* and *el mercado central*, and you have also come across *los bares*. Other buildings frequented by the general public that have come up in this unit are *el museo, el hospital, la escuela, el polideportivo o el centro deportivo, el ayuntamiento, el aeropuerto, la oficina, el banco, el restaurante*, and a more modern one, *el cibercafé*. Another place in Hispanic

countries where the community gathers is *la iglesia*, and of course *los parques* and *las plazas*.

2   Here is a possible answer:

(a) museo: moderno; (b) parque: tranquilo (c) bar: ruidoso, animado; (d) estación de tren: antigua, caótica; (e) cibercafé: moderno, tranquilo; (f) polideportivo: relajante.

3   You may think that these public places are totally different in your country, or you may think them similar. The important thing is to be aware of any similarities as well as differences between countries.

4   Here is a possible answer:
Valencia es una ciudad **preciosa**.
Imprescindible ver **el campanario del Miguelete**.
De mi viaje a España recomiendo visitar **las Torres de Pere Quart y la espectacular estación modernista en Valencia**.
En La Habana hay unos **bares de los años 50 muy animados**.
Para relajarse en el viaje, recomiendo ir a **un centro deportivo en Santiago de Chile**.
En Montevideo hay una **ciudad vieja muy bonita**.
Sobre todo, visitar **El Cabildo en la Plaza de la Constitución**.

Actividad 7.1

1   Things you can do in a bank: (a), (b) (some banks in Barcelona sell these), (c), (e), (f) (some banks in Barcelona sell these), (h).

Things you don't usually do in a bank: (d), (g) (you can buy stamps at an *estanco*, a government-licensed tobacconist's and newsagent's).

2   (b) – (iv), (c) – (ii), (d) – (v), (e) – (vi) (*comprar* can be used with *entradas*, but is less common), (f) – (i).

3   **Ventanilla 1**: cambiar dinero, cambiar euros.
Ventanilla 3: sacar entradas de teatro.
Cajero automático: cargar el (teléfono) móvil, sacar dinero con tarjeta de crédito.

Actividad 7.2

1   The correct order is: (c), (e), (a), (d), (b).

2   (a) tome, (b) siga, (c) tome.

Actividad 7.3

1   La quinta. La quinta a la derecha. La sexta. La sexta a la izquierda.

2   You have ended up where you started! (Keep straight on. Take the second street on the right. Keep straight on. Take the first street on the right. Keep straight on. Take the second street on the right. Keep straight on.)

Actividad 7.5

Here are some possible routes:

(a) Está aquí, a la derecha.

(b) Gire a la derecha y tome la primera calle a la derecha, siga todo recto y el Palacio de la Música está a la izquierda.

(c) Tome la primera a la izquierda, siga todo recto hasta el final de la calle, y está allí.

(d) Tome la primera a la derecha y siga recto. Tome la segunda calle a la izquierda, la Gran Vía de les Corts Catalanes. Siga todo recto y la Universidad está allí, a la derecha.

(e) Siga todo recto y está a la izquierda.

(f) Vaya a las Ramblas, siga todo recto, tome la tercera calle a la izquierda, siga todo recto y el hotel está allí, a la derecha.

Actividad 8.1

1   **Hotel Espartano**: económico, varias plantas, moderno, barato, ruidoso, bloque de pisos, incómodo, funcional.

Hotel Santa Isabel: lujoso, dos plantas, antiguo, caro, tranquilo, mansión, cómodo, decorativo.

2   Here are some possible answers:
(a) El hotel Espartano está en la calle Convento San Francisco, detrás de la Plaza del Ayuntamiento. Está cerca de la Plaza de Toros.

(b) El hotel Santa Isabel está en la calle Baratillo, entre O'Reilly y Narciso López, en la Plaza de Armas. Está cerca del Castillo de la Fuerza.

Actividad 8.2

1

	Proximity to city centre	Exact address
Hotel Duques de Bergara	En el corazón de Barcelona, a pocos metros de la Plaza Catalunya	Calle Bergara, 11
Hotel Oriente	En pleno centro, en las Ramblas	Calle Ramblas, 45–47
Hotel Rívoli	A dos pasos de la Plaza Catalunya	La Rambla, 128

Actividad 8.4

Here is a possible answer:

Quiero un hotel cerca de la playa, a dos pasos de los museos, antiguo y tranquilo, barato, en pleno centro, elegante y cómodo, a diez metros de los bares.

En pocas palabras

Vocabulary strategies

Nouns: gimnasio, dinero, lavabos, recepción, piscina, sauna, vestuarios, tarjeta (de autobús)

Verbs: sacar, estar, saber, soy (ser)

Adjectives: funcional, cómodo

Adverbs: cerca

Prepositions: entre, en

Diario hablado

(a) ¿Dónde está la Plaza de Armas? A dos pasos del lugar donde se funda la villa de San Cristóbal de La Habana.

(b) ¿Qué tipo de edificio es? Es una mansión maravillosa de los Condes de Santovenia.

(c) ¿Y de qué está cerca? Está cerca de monumentos y edificios famosos.

(d) ¿De qué edificios? A cinco minutos del Cristo de La Habana, la Giraldilla y el Palacio de los Capitanes Generales.

SESIÓN 9

EL CÓMIC

Alberto ¿Dónde estamos?
Eva Estamos aquí. **Delante** de la estación de tren. Voy a preguntar dónde **está** el museo.
Alberto No, no preguntes. ¡Tenemos un mapa!

Eva Aquí no hay un museo. No **hay** edificios, no hay nada. ¡Estamos perdidos!
Alberto Sí, sí, está cerca de aquí. Es **todo** recto y está al **final** de esta calle. ¡Venga!
Eva ¡Qué paciencia!

Eva Oiga, por favor, ¿**para** ir al museo?
Alberto Eva, mujer, ¡pero si está **a dos** pasos de aquí!

EL PEDANTE

Palacio Cousiño
Uno de los palacios más antig**uos** y bell**os** de Santiago. Se construyó en el siglo XIX. Está al sur de la Alameda, cerca del Parque Almagro. Está rodeado de enorm**es** y lindísim**os** jardines.

Mercado Central
Justo enfrente del famos**o** río Mapocho, se encuentra este lind**o** mercado en el centro de Santiago de Chile. Allí hay unos puestos de frutas y verduras espectacular**es** y unos restaurantes muy agradabl**es**.

PLATO DE ESPAGUETIS

campanario – alto, edificio – espectacular, plaza – bonita, palacio – antiguo, tienda – barata, sofá – cómodo, bar – animado, músico – famoso, paseo – largo, parque – grande, escuela – moderna, centro – cultural.

UNA IMAGEN VALE MÁS QUE MIL PALABRAS

(a) el mercado, (b) la muralla / la estación de tren, (c) el puerto,
(d) la playa, (e) el cabildo, (f) la catedral.

CRUCIGRAMA

Across/Down answers shown in grid:

- 1. MONTEVIDEO
- 2. BARCELONA
- 3. GRANADA
- 4. CÓRDOBA
- 5. SEVILLA
- 6. VALENCIA
- 7. BILBAO

MI GRAMÁTICA

The singular

	Rule	Example
Ending in a vowel	-o changes to -a	bonito → bonita
Ending in a consonant	Stays the same	espectacular, cultural
Ending in -e	Stays the same	interesante, grande

The plural

	Rule	Example
Ending in a vowel	Adds -s	bonitos, bonitas
Ending in a consonant	Adds -es	espectaculares, culturales
Ending in -e	Adds -s	interesantes, grandes

TEST CULTURAL

(a) Verdadero.

(b) Falso. (*The famous Cabildo that you have seen is in Montevideo. Famous buildings in Santiago de Chile include La Casa de la Moneda and the Palacio Cousiño.*)

(c) Falso. (*There are many different examples of historical architecture such as modernist and medieval.*)

(d) Verdadero.

(e) Verdadero.

(f) Falso. (*The first governor of Cuba was Diego Velázquez, after whom the museum in Santiago de Cuba is named.*)

DOCUMENTAL

(a) En las afueras de Valencia.

(b) You may have mentioned some of the following points:

Es interactivo, moderno, divertido, dinámico, enorme, gigantesco, muy alto, como el esqueleto de un dinosaurio, totalmente nuevo, muy bonito, muy grande, muy amplio, con mucha luz.

(c) El arquitecto es Santiago Calatrava.

SESIÓN 10
Part A
Test your vocabulary

1   (a) – (iii) *cómoda* (comfortable) is incorrect as we don't usually talk about churches in terms of their comfort.

(b) – (ii) *festiva* (festive) is the odd one out as we don't usually talk about the atmosphere in a railway station.

(c) – (iii) *un campanario* (a bell tower) is not a feature you would normally find in a bar!

(d) – (ii) *un ayuntamiento* (town hall) is not something you would find in a sports centre.

(e) – (iii) *sellos* (stamps) is not usually used with the verb *sacar*.

2   (a) Dinero. (*The other words refer to places / buildings.*)

(b) Aeropuerto. (*The others refer to means of transport, whereas this is the building where the means of transport is based.*)

(c) Sello. (*The others refer to banking transactions.*)

(d) Mercado. (*The others refer to religious buildings.*)

(e) Ventanilla. (*The others refer to objects you can usually find in a Hispanic bar.*)

Revision A good way of memorizing and organizing vocabulary is to classify it. For example, separate the words you have learned for places by putting them into two columns: one for the places you usually go to, and another for the places you don't usually go to.

Test your grammar

1   Here is a possible answer.
(a) inacabada, (b) interesantes, (c) famosas, (d) europeo.

2   **Dos edificios muy diferentes**
El primero es un edificio al**to**. En la prime**ra** planta hay unas oficinas. En la segunda planta hay salas muy grand**es** y ruidosas. También hay un bar, con unos sillones muy cómod**os** y unos ventiladores de estilo colonial. Enfrente de este edificio, hay una casa antigua y muy bonit**a**.

3   (a) **Vamos** a la oficina.

(b) **Vais** al cine.

(c) **Van** al supermercado.

(d) **Sé** dónde está Marta.

(e) ¿**Sabes** dónde está la monitora?

4   (a) La Alhambra **está en** Granada.

(b) Las ruinas aztecas **están en** México.

(c) El barrio Carrasco y la Plaza Zabala **están en** Montevideo.

(d) (Nosotros) **estamos en** Cuba.

(e) Patricio y la familia de Isabel **están en** Valencia.

Revision Now review all the grammar you have studied so far. Go back to the 'Overview', look at the column 'Language points' and tick the grammar points that you feel confident handling. If you feel you need more practice with any of them, go to the relevant exercises and try doing them again.

Part B

Test your reading skills

(a) Falso. ("la segunda ciudad más antigua de Chile"; "los edificios son … de estilo colonial").

(b) Falso. ("Está … en el norte de Chile").

(c) Verdadero. ("El mercado [está] a solo diez minutos de la plaza").

> **Revision** A good technique for retaining information is to note down the key words. These are the terms, dates and names that summarize what has been said. Try to do this with any of the reading or listening passages (e.g. the documentary) that you have come across. When you see these words again, they will remind you of the information around them.

Part C

Test your writing skills

(a) Hay un edificio antiguo. Hay gente delante del edificio. Hay un coche.

(b) El edificio es grande y antiguo, de estilo colonial.

> **Revision** Try doing the same exercise, but this time brainstorm the words you want to use by referring to the table in the section 'En pocas palabras: Vocabulary strategies'. Then answer the questions. Were your answers fuller and more accurate?

Part D

Test your communicative skills

1 See map below.

2 Here is a possible answer:

Cruce la calle y tome la primera calle a la derecha, la calle Prat, siga todo recto, y la Plaza de Armas es la tercera calle a la izquierda, es la cuarta cuadra.

> **Revision** Imagine that you have visitors to your town. Choose the four places that you would recommend they visit and record yourself giving them directions from your house.

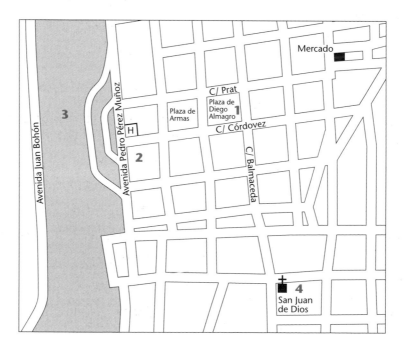

Transcripciones CD 1

[The music which starts and ends CD1 is an extract from *Histoire du tango* by the Argentinian composer Astor Piazzolla (1921–1992).]

[Pista 1]

Welcome to the Spanish course *Portales*. This is CD 1.

Bienvenidos al curso de español Portales. *Este es el Compacto de actividades 1.*

Pista 2

Listen to the sounds in this square.

Escuche los sonidos.

(*sound*)	la fuente	(*sound*)	la iglesia
(*sound*)	los niños	(*sound*)	el coche
(*sound*)	las palomas	(*sound*)	el móvil
(*sound*)	la bicicleta		

Pista 3

Repeat after Juan as he counts up to ten.

Escuche los números y repita.

uno dos tres cuatro cinco seis siete ocho nueve diez

Pista 4

Listen to the winning lottery numbers. Are your numbers among them?

Escuche los números.

Y… los números son: siete… tres… cuatro… seis… cinco… dos… ocho… y ¡uno!

Pista 5

Listen to the following snippets of conversation.

Escuche las frases.

¡Hola, Ana! Por favor. ¡Perdón!
¡Oiga! Gracias.

Pista 6

Practise the Spanish vowels.

Escuche las vocales y repita.

a	Argentina	o	¡Hola!
e	Elefante	u	Uruguay
i	Iguazú		

Pista 7

Listen to the following greetings and introductions.

Escuche los saludos y presentaciones.

1 – Soy María.
– Y yo Fernando.
– ¡Hola! Me llamo Cristina.
2 – ¡Hola! ¿Cómo está? Soy Liliana.
3 – Chao.
– ¡Chaíto!
4 – ¡Hasta luego!
– ¡Adiós!

Pista 8

Listen to the following greetings and answer using the same expressions.

Escuche y responda.

(a) – ¡Hola! ¡Buenos días!
– ¡Hola!, ¡buenos días!
(b) – ¡Buenas tardes!
– ¡Buenas tardes!
(c) – ¡Hasta luego!
– ¡Hasta luego!
(d) – Buenas noches.
– Buenas noches.
(e) – ¡Chao!
– ¡Chao!
(f) – ¡Chaíto!
– ¡Chaíto!

Pista 9

Listen to these people in Valencia saying their names.

Escuche los nombres.

(a) – Hola, ¿cómo te llamas?

    – Nuria.

(b) – Hola.

    – Hola.

    – ¿Cómo te llamas?

    – Laura.

(c) – Hola.

    – Hola.

    – ¿Cómo te llamas?

    – Estefanía.

(d) – Hola.

    – Hola.

    – ¿Cómo se llama usted?

    – Me llamo Cristina.

(e) – Hola, ¿cómo se llama?

    – Me llamo José Segarra.

(f) – Hola.

    – Hola.

    – ¿Cómo te llamas?

    – Me llamo Guillem.

Pista 10

Listen to the alphabet and repeat the letters.

Escuche y repita el alfabeto.

a be ce de e efe ge hache
i jota ka ele elle eme ene eñe
o pe cu erre ese te u uve*
uve doble equis i griega zeta

* This letter (v) is also called *ve corta* or *ve chica* in Latin America.

Pista 11

Listen to the following names and then spell them.

Escuche y deletree.

Ejemplo

María

eme a erre i a

Ahora usted:

Ana

a ene a

Carmen

ce a erre eme e ene

Juan

jota u a ene

Víctor

uve i ce te o erre

Pista 12

Listen to these short dialogues and try to decide whether they are formal or informal.

Escuche. ¿Es formal o informal?

(a) **Cristina** ¡Hola, Fernando!

    Fernando ¡Hola Cristina! Mira, esta es María, una amiga. Y esta Liliana, mi pareja.

    María ¡Hola!

    Liliana ¡Hola! ¿Qué tal?

(b) **Sra. García** ¡Buenos días, señora Hernández! ¿Cómo está?

    Sra. Hernández Bien, gracias.

    Sra. García Le presento al señor Fernando Cortés, un colega.

    Sra. Hernández ¡Encantada!

    Sr. Cortés ¡Encantado!

Pista 13

Now repeat these words and pay attention to the pronunciation of the 'g' which is a softer sound, and 'j' which is harsher.

Escuche y repita las palabras.

mi amiga	mi pareja
Jaime, un colega	mi mujer
mi jefa	un gerente de la empresa
José Giménez	

Pista 14

Listen and reply to these introductions. Remember that there is no one answer. Follow the example.

Escuche y responda.

Ejemplo

¡Hola Pepe! Mira, este es Roque, un amigo. Y aquí Ana, mi pareja.

¡Hola!

¿Qué tal?

Ahora usted:

(a) – Le presento al señor Villaescusa, el director de Marketing.

– ¡Mucho gusto!

– Encantada.

(b) – ¡Hola!, esta es Marta, una amiga.

– ¡Hola!

– ¿Qué tal?

(c) – ¡Buenas tardes! Le presento a la doctora Rubio.

– ¡Encantada!

– Mucho gusto.

(d) – ¡Hola!, este es mi perro Pluto.

– ¡Guau!

– ¡Mucho gusto, Pluto!

Pista 15

This is how you could introduce your friends and family.

Un modelo:

Esta es Martina, mi hermana. Este es Mark, mi hermano. Esta es Sarah, una amiga. Este es Miguel, un amigo. Esta es Dorothy, mi madre, y este es Pluto, mi perro.

Pista 16

Listen to these questions about well-known people from Valencia.

Escuche las entrevistas.

(a) – ¿Quién es Santiago Calatrava?

– Un arquitecto de aquí, de Valencia.

(b) – ¿Quién es Blasco Ibáñez?

– No sé, es valenciano.

– Un escritor valenciano.

(c) – ¿Y sabes quién es Sorolla?

– Un pintor.

(d) – ¿Tú sabes quién es Raimón?

– No lo sé, ni idea.

– Un cantante valenciano.

(e) – ¿Quién es José Lladró?

– Un empresario.

Pista 17

Listen to the names of these Latin American countries and decide whether the 'r' sound is strong or weak.

Escuche y decida, ¿r o rr?

(a) Costa Rica   (e) República Dominicana

(b) Perú   (f) Honduras

(c) Paraguay   (g) Uruguay

(d) Nicaragua

Pista 18

Ana and Gonzalo are doing a jigsaw of Latin America. See if you can repeat the names of the countries.

Escuche y repita los nombres de países latinoamericanos.

> Argentina… Bolivia… Chile… Colombia…
> Costa Rica… Cuba… Ecuador…
> El Salvador… Guatemala… Honduras…
> México… Nicaragua… Panamá…
> Paraguay… Perú… Puerto Rico…
> República Dominicana… Uruguay…
> y Venezuela. Ya. ¡Terminado!

Pista 19

Listen to these people talking about where they are from.

Escuche a estas personas.

(a) – Me llamo Adriana Larrañaga.

– ¿De dónde eres y dónde vives actualmente?

– Nací en la Ciudad de México y vivo aquí en la Ciudad de México.

(b) – Me llamo Alicia Carolina Tejada.

– Y, ¿de dónde eres?

– Soy de El Salvador.

(c) – ¡Buenos días!

– Eh… ¿cómo te llamas?

– Me llamo Carmen.

– Ajá. ¿Y de dónde eres?

– Soy de Salamanca.

(d) – Buenas tardes.

– Buenas tardes.

– ¿Cómo se llama?

– Carmen Rosa.

– ¿De dónde es usted?

– De Chile, de Viña del Mar.

Pista 20

Now you are going to ask people where they are from and what languages they speak. Listen to the prompts and respond, as in the example.

Escuche y participe.

Ejemplo

(Ask where Jorge is from.)

¿De dónde eres, Jorge?

De Perú, soy peruano.

(Ask whether he speaks English.)

¿Hablas inglés?

No, pero hablo español y quechua.

Ahora usted:

(a) – (Ask where Stefania is from.)

– ¿De dónde eres, Estefanía*?

– De Italia, soy italiana.

– (Ask whether she speaks English.)

– ¿Hablas inglés?

– No, pero hablo italiano.

(b) – (Ask where Iñaki is from.)

– ¿De dónde eres, Iñaki?

– Del País Vasco, soy vasco.

– (Ask whether he speaks English.)

– ¿Hablas inglés?

– No, pero hablo español y vasco.

(c) – (Where does Àgata come from?)

– ¿De dónde eres, Àgata?

– De Cataluña, soy catalana.

– (Ask whether she speaks Spanish.)

– ¿Hablas español?

– Sí, hablo español y catalán.

* The speaker pronounces the name like its Spanish equivalent, Estefanía.

(d) – (Ask where Heidi comes from.)

– ¿De dónde eres, Heidi?

– De Suiza, soy suiza.

– (Ask whether she speaks French.)

– ¿Hablas francés?

– No, pero hablo italiano y alemán.

(e) – (Ask where Alejandro comes from.)

– ¿De dónde eres, Alejandro?

– De Galicia, soy gallego.

– (Ask whether he speaks Italian.)

– ¿Hablas italiano?

– No, pero hablo inglés, español y gallego.

(f) – (Find out where E.T. comes from.)

– ¿De dónde eres, E.T.?

– De Marte. Soy marciano.

– (Ask him whether he speaks English.)

– Y hablas… ¿hablas inglés?

– Sí, y también hablo francés, alemán, ruso, árabe, japonés, chino, quechua, guaraní, …

– Pues, pues… hasta luego.

Pista 21

One of the Easter Island statues in a Santiago museum has come to life. You overhear his conversation with a fellow sculpture.

Escuche el diálogo entre dos esculturas.

Sechín   ¡Buf! Por fin… ¡Cuántos turistas hoy!…… ¡Hola!

Ahu Tahai   ¡Hola! ¿Qué tal?

Sechín   ¿Cómo te llamas?

Ahu Tahai   Me llamo Ahu Tahai, ¿y tú?

Sechín   Yo me llamo Sechín. ¿De dónde eres?

Ahu Tahai   Soy de Rapanui, Isla de Pascua.

Sechín   ¿Eres argentino?

Ahu Tahai   No, no, soy chileno. ¿Y tú?

Sechín   Yo soy peruano. Oye, ¿eres casado?

Ahu Tahai   Sí, mi mujer se llama Motu Nui.

Sechín   ¿Y tienes hijos?

Ahu Tahai   Sí, un hijo.

Sechín   ¿Cómo se llama?

Ahu Tahai   Rano Raraku.

Sechín   ¡Qué nombre tan bonito!… ¡Shhhh! ¡Turistas!

Pista 22

Back in the museum, these two people have just met. Join in the conversation by following the prompts.

Escuche y participe en este diálogo.

Ricardo   ¡Hola!

Àgata   ¡Hola!

(Ask her name.)

Ricardo   ¿Cómo te llamas?

Àgata   Me llamo Àgata. Y tú, ¿cómo te llamas?

Ricardo   Yo me llamo Ricardo.

(Ask whether she is married.)

Ricardo   ¿Eres casada?

Àgata   Eh… no.

(Ask how old she is.)

Ricardo   Y ¿cuántos años tienes?

Àgata   ¡Insolente!

Pista 23

Now listen to Mari Luz trying to get to sleep the old-fashioned way, by counting sheep.

Escuche a esta persona contando ovejitas.

… diez ovejitas, once ovejitas, doce ovejitas… (*moan, yawn*)… trece ovejitas, catorce ovejitas, quince, dieciséis, diecisiete… (*sound of yawning*)… veinte, veintiuna, veintidós… mm… veintisiete… treinta, treinta y una, treinta y dos… (*sound of yawning*)…… cincuenta y cinco… (*sound of snoring*)…

Pista 24

Now listen to the prompts and say where you live. Listen to the example first.

Escuche estas entrevistas.

> **Ejemplo**
> ¿Dónde vives?
> (Bogotá)
> Vivo en Bogotá.

Ahora usted:

(a) – ¿Dónde vives?

 – (Madrid)

 – Vivo en Madrid.

(b) – ¿Dónde vives?

 – (Seville)

 – Vivo en Sevilla.

(c) – ¿Dónde vives?

 – (London)

 – Vivo en Londres.

(d) – ¿Dónde vive?

 – (Mexico)

 – Vivo en México.

(e) – ¿Donde vive?

 – (Edinburgh)

 – Vivo en Escocia, en Edinburgh.

 – ¿Edinbru… ¿Cómo? ¿Dónde vive?

 – Edimburgo, vivo en Edimburgo.

Pista 25

Two people phone a language school to ask for information about the courses.

Escuche las conversaciones telefónicas.

(a) (*Switchboard ringing*)

Recepcionista Centro de Idiomas Bellavista, ¿dígame?

William Newson Buenas tardes, quería información sobre sus cursos de español.

Recepcionista ¡Cómo no! ¿Cómo se llama?

William Newson Me llamo William Newson.

Recepcionista Y ¿cuál es su dirección?

William Newson Calle Caballeros, número 87, primer piso, 09023 Valencia.

(b) **Astrid Suhling** Quisiera apuntarme a un curso de español.

Recepcionista Muy bien, ¿quiere que le mande información?

Astrid Suhling Sí, gracias.

Recepcionista ¿Me da su nombre y dirección?

Astrid Suhling Me llamo Astrid Suhling, Plaza de la Revolución, sin número, Bajos, Habana.

Recepcionista Muchas gracias.

Astrid Suhling Muy bien, gracias. ¡Chao!

Recepcionista ¡Chao!

Pista 26

Listen to how these quiz show contestants introduce themselves.

Escuche las presentaciones.

(a) – ¡Hola! Me llamo Manuela Comas y soy de Madrid. Soy camarera y trabajo en un bar en el centro de Madrid.

(b) – ¡Hola! Me llamo Carolina Sánchez y soy de Chile. Soy periodista y trabajo en un periódico en Santiago de Chile.

(c) – ¿Qué tal? Me llamo José Carlos Justo y soy de Cartagena de Indias. Soy profesor y trabajo en una escuela.

(d) – Bueno, pues, yo… me llamo Francisca Bustos, soy de Orense. Bueno, pues, de profesión soy informática. Y trabajo… trabajo en el centro, en una oficina en el centro.

Pista 27

These children are at school in Valencia. Listen to them sing.

Escuche cantar a estos niños.

> Rojo, amarillo, verde, azul,
> naranja, violeta, y lo que quieras tú,
> rey, rey, cuántos años viviré,
> que soy pequeñito y no lo sé.
> Uno, dos, tres, cuatro, cinco,
> seis, siete, ocho, nueve, diez.

Pista 28

DOCUMENTAL 1
Los apellidos

Now it's your chance to listen to the first programme of the documentary series En portada. *In this first programme you are going to find out about surnames in the Spanish-speaking world.*

Hola a todos. Bienvenidos a… *En portada.*

El primer programa está dedicado a los apellidos hispanos.

¿Cuántos apellidos tenemos los españoles? Como ustedes saben, en España y Latinoamérica cada persona tiene dos apellidos. Aquí tienen los apellidos de dos valencianos:

> Mis apellidos son Tortajada y Maganto.

Tortajada Maganto. Tortajada es el apellido del padre. Maganto es el apellido de la madre.

Mis apellidos son Serrano y González.

Serrano González. Serrano es el apellido del padre y González es el apellido de la madre.

¿Qué otra información hay en los apellidos? Los apellidos españoles tienen una relación, una conexión muy fuerte con las distintas regiones de la Península.

> Mis apellidos son Tortajada y Maganto.

> ¿Y de dónde son sus apellidos?

> Tortajada es un apellido que proviene de Aragón y Maganto es un apellido que procede de Castilla la Vieja.

El apellido Tortajada es de Aragón, en el norte de España, y Maganto es un apellido de Castilla, en el centro de España.

> Mis apellidos son Valencia y Navas.

> ¿Y de dónde son sus apellidos?

> De Valencia.

De Valencia…. Y aquí en el estudio…

Presentadora   Cristina, ¿cuáles son tus apellidos?

Cristina   Mis apellidos son Ros Solé.

Presentadora   ¿Sabes de dónde es el primero, Ros?

Cristina   De… bueno, Ros es catalán y Solé valenciano.

Presentadora   María, ¿cuáles son tus apellidos?

María   Iturri Franco. Iturri es vasco y Franco es gallego.

Presentadora   Y William, ¿ cuáles son tus apellidos?

William   Pues, soy inglés, solo tengo uno, es Moult.

Entrevistadora   ¿Sabes de dónde es?

William   Creo que viene de Normandía, en Francia, pero no estoy seguro.

Pista 29

Listen to the following greetings and introductions.

Escuche las presentaciones.

(a) – Buenos días, señor Rodríguez. ¿Qué tal? Mire, le presento a la señorita Vergara, una compañera del trabajo.

– Mucho gusto. Encantado.

(b) – Papá, papá. ¡Qué casualidad!

– Hola, Olga… ¿desayunando? Mira, Olga, esta es Micaela, mi… mi vecina.

– Hola, ¿qué hay? ¿Cómo estás?

– Hola, ¿qué tal?

(c) – Hola, Carmen. Pasa, pasa.

– Hola, Paco.

– Mira, Carmen, esta es Ana, una amiga.

– Hola, ¿qué tal?

– ¿Qué tal, Ana?

Pista 30

Listen to this doctor registering a new patient.

Escuche a la doctora.

Médica   Hola, pase y siéntese, ¿Cómo se llama?

Paciente   (Me llamo …)

Médica   Perdón, ¿cómo se escribe su primer apellido?

Paciente   (Mi primer …)

Médica   Y, vamos a ver, ¿cuántos años tiene?

Paciente   (Tengo …)

Médica   ¿Dónde vive? ¿Cuál es su dirección?

Paciente   (Yo viv…)

Médica   ¿Me puede decir su número de teléfono?

Paciente   (Sí …)

Médica   ¿En qué trabaja?

Paciente   (Yo …)

Médica   ¿Estado civil?

Paciente   (Ca…)

Médica   ¿Tiene hijos?

Paciente   (Sí …)

Pista 31

These are all the phrases that appear in *Español de bolsillo*.

Y ahora escuche el Español de bolsillo.

Me llamo Teresa.

¡Hola! Soy María.

¡Buenos días!

¡Buenas tardes!

¡Buenas noches!

¿Qué tal?

¿Cómo está?

¡Hasta luego!

¡Chao!

¡Chaíto!

Pista 32

Le presento al señor Iturri.

Mucho gusto.

Encantado.

Encantada.

Este es Roque, un amigo.

¡Hola! ¿Qué tal?

Pista 33

¿Quién es?

Es una escritora.

No estoy segura.

No estoy seguro.

No lo sé.

No tengo ni idea.

Pista 34

¿De dónde eres?

Soy de Valencia.

Soy valenciano.

Soy valenciana.

¿Hablas inglés?

No, pero hablo español y valenciano.

¿De dónde es usted?

¿Habla usted inglés?

Pista 35

¿Eres casado?

¿Estás casado?

Sí, soy casado.

Estoy casada.

¿Cuántos años tienes?

¿Tienes hijos?

Pista 36

¿Dónde vive?

¿Dónde vives?

Vivo en Valencia.

¿Cuál es su dirección?

¿Cuál es tu dirección?

Calle Jovellanos 5, entre Legalidad y Concepción.

Pista 37

Now you are going to make sentences by linking the words that you hear and changing them appropriately. Listen to the example first.

Construya frases.

Ejemplo

(la ciudad / moderno)

La ciudad es moderna.

Ahora usted:

(a) (la catedral / antiguo)

La catedral es antigua.

(b) (la fuente / precioso)

La fuente es preciosa.

(c) (los parques / tranquilo)

Los parques son tranquilos.

(d) (las casas / bonito)

Las casas son bonitas.

(e) (los restaurantes / bueno)

Los restaurantes son buenos.

(f) (los edificios / moderno)

Los edificios son modernos.

(g) (el cine / grande)

El cine es grande.

Pista 38

Listen to these descriptions of some places in Valencia.

Escuche las descripciones.

(a) – ¿Cómo es la plaza de toros?

– Muy bonita. Es muy grande.

(b) – ¿Cómo son los bares?

– Animados y festivos, como Valencia misma.

(c) – ¿Cómo es la estación de Valencia?

– Antigua, de fachada antigua.

(d) – ¿Cómo es el campanario del Miguelete?

– Es muy grande, alto y tiene muchas escaleras.

(e) – ¿Cómo es el Mercado Central?

– El Mercado Central es muy grande y va mucha gente.

Pista 39

Listen to two people, one from Andalucía and one from Uruguay, talking about the most important sights in their part of the world.

Escuche las entrevistas.

(a) – ¿De dónde es usted?

– De Andalucía, España.

– ¿Qué monumentos importantes hay en Andalucía?

– Pues, la Mezquita de Córdoba.

– ¿Qué más hay?

– También hay la Alhambra.

– ¿Dónde está la Alhambra?

– En Granada.

– ¡Ah! Y la Giralda, ¿no está en Granada?

– No, no, la Giralda está en Sevilla.

(b) – ¿De dónde eres?

– De Montevideo, Uruguay.

– ¿Qué hay para el turista en Montevideo?

– Hay tres lugares básicos, la Ciudadela que es el casco viejo, El Cabildo y el barrio de Priépolis.

– ¿Dónde está situado el barrio Carrasco en Montevideo?

– Hacia el este.

– ¿Dónde está situado El Cabildo?

– El Cabildo está detrás del barrio antiguo.

– ¿Y dónde está la Ciudadela?

– Está en el mismo centro de Montevideo, la capital.

Pista 40

Here are some buildings and places in Andalucía and Montevideo. Listen to the example and ask where they are.

Pregunte dónde están los siguientes edificios y monumentos.

Ejemplo

(El Cabildo)

¿Dónde está El Cabildo?

Ahora usted:

(a) (la Alhambra)

¿Dónde está la Alhambra?

(b) (la Giralda)

¿Dónde está la Giralda?

(c) (el barrio de Triana)

¿Dónde está el barrio de Triana?

(d) (el barrio Carrasco)

¿Dónde está el barrio Carrasco?

(e) (la Mezquita de Córdoba)

¿Dónde está la Mezquita de Córdoba?

Pista 41

Now you are going to hear three short guided tours of Santiago.

Escuche tres visitas guiadas en Santiago de Chile.

Estamos en la antigua estación de ferrocarril Mapocho, al lado del río Mapocho. Cerca de esta estación está el Mercado Central.

Cerca de la Plaza de Armas, en la calle Merced, está la Casa Colorada, la antigua casa del gobernador español.

Estamos en la Plaza de Armas. En un lado de la plaza hay varias tiendas. Al otro lado, enfrente de las tiendas, está la catedral y el Palacio del Arzobispo.

Pista 42

Listen to where people are travelling to from Valencia airport.

Escuche adónde van estas personas.

"Por su propio interés rogamos mantengan sus pertenencias controladas en todo momento". *'Please do not leave baggage unattended.'*

(a) – ¿Adónde va?

– A Sevilla.

– Bueno, ¡buen viaje!

– Gracias.

(b) – ¿Adónde va a viajar, señora?

– Palma de Mallorca.

(c) – ¿Adónde van?

– Madrid.

(d) – ¿Adónde viajas?

– A Palma de Mallorca.

– ¡Muy buen viaje!

– Gracias.

(e) – ¿Adónde viajas?

– Voy a Barcelona.

– ¡Buen viaje!

– Gracias.

– Adiós.

– Adiós.

Pista 43

Tell this nosey person where you are going. Follow the example.

Escuche y participe.

Ejemplo

¿Adónde vas?

(el parque)

Voy al parque.

Ahora usted:

(a) – ¿Adónde vas?

– (el gimnasio)

– Voy al gimnasio.

(b) – ¿Adónde vas?

– (el supermercado)

– Voy al supermercado.

(c) – ¿Adónde vas?

– (el cine)

– Voy al cine.

(d) – ¿Adónde vas?

– (casa de unas amigas)

– Voy a casa de unas amigas.

(e) – ¿Adónde vas?

– (donde quiero)

– ¡Voy a donde quiero!

Pista 44

What things can you hear in this bar? Answer by following the prompts.

Describa qué hay en el bar.

Ejemplo

(teléfono público)

Hay un teléfono público.

Ahora usted:

(a) (cócteles)

Hay unos cócteles.

(b) (actuación en vivo)

Hay una actuación en vivo.

(c) (pista de baile)

Hay una pista de baile.

(d) (terraza)

Hay una terraza.

(e) (máquinas tragaperras)

Hay unas máquinas tragaperras.

(f) (juegos de mesa)

Hay unos juegos de mesa.

Pista 45

Listen to the following exchanges between a receptionist and different people in a sports centre.

Escuche los siguientes diálogos en un centro deportivo.

(a) – La señorita Marta por favor, preséntese a Recepción. Señorita Marta, la llaman a Recepción. Oye Juana, ¿sabes dónde está Marta?

– No, no sé. ¿No está en la piscina?

– Señorita Marta, ¡por favor! La llaman a Recepción.

(b) – Juana, ¿sabes dónde está la monitora?

– Pues no. ¿No está en el gimnasio?

– Ah, sí. Claro. Gracias.

(c) – Juana, Juana, ¿sabes dónde están Mercedes y Teresa?

– Están en los vestuarios.

– Gracias, Juana.

(d) – Oye, ¿sabes dónde está la Recepción?

– Sí, sí, claro. ¡AQUÍ!

Pista 46

You are now going to be asked to locate different things in a sports centre.

Escuche y responda.

Ejemplo

¿Dónde está la piscina?

(next to Reception)

Al lado de Recepción.

Ahora usted:

(a) – ¿Dónde están los vestuarios para caballeros?

– (next to Reception)

– Al lado de Recepción.

(b) – ¿Dónde están los vestuarios para señoras?

– (behind Reception)

– Detrás de Recepción.

(c) – ¿Dónde está el almacén?

– (next to the sauna)

– Al lado de la sauna.

(d) – ¿Dónde están los aseos?

– (behind the bar)

– Detrás del bar.

(e) – ¿Dónde está el bar?

– (between the gym and the swimming pools)

– Entre el gimnasio y las piscinas.

(f) – ¿Dónde está la monitora de natación?

– (in front of you)

– Delante de usted.

– ¿Cómo?

– ¡Delante de usted! ¡La monitora de natación soy yo!

Pista 47

Listen to someone asking for things in a bank in Barcelona.

Escuche los diálogos.

(a) – Perdone, ¿para cambiar dinero?

– Aquí, en la ventanilla uno.

(b) – Perdone, ¿para cargar el móvil?

– En el cajero automático.

(c) – Perdone, ¿para sacar entradas de teatro?

– En la ventanilla tres.

(d) – Perdone, ¿para sacar dinero con la tarjeta de crédito?

– En el cajero automático.

(e) – Perdone, ¿para cambiar euros?

– Pase a la ventanilla uno.

(f) – Perdone, ¿para ser millonario?

– ¡La lotería, hijo!

Pista 48

Listen and repeat the following directions.

Escuche las indicaciones y repita.

La primera.

La primera a la derecha.

La segunda.

La segunda a la izquierda.

La tercera.

La tercera a la derecha.

La cuarta.

La cuarta a la izquierda.

Pista 49

Someone is giving you directions. Repeat them to show you have understood.

Escuche y repita las instrucciones.

Ejemplo
Siga todo recto.
Todo recto.

Ahora usted:

– Siga todo recto.
– Todo recto.

– Tome la segunda calle a la derecha.
La segunda calle a la derecha.

– Siga todo recto.
– Todo recto.

– Tome la primera calle a la derecha.
– La primera calle a la derecha.

– Siga todo recto.
– Todo recto.

– Tome la segunda calle a la derecha.
– La segunda calle a la derecha.

– Siga todo recto.
– Todo recto.

Pista 50

You are in a new city. Ask where you can find these things.

Escuche y pregunte.

Ejemplo
(banco)

¿Hay un banco por aquí?

Ahora usted:

(a) (cibercafé)

¿Hay un cibercafé por aquí?

(b) (biblioteca)

¿Hay una biblioteca por aquí?

(c) (estación de metro)

¿Hay una estación de metro por aquí?

(d) (oficina de correos)

¿Hay una oficina de correos por aquí?

(e) (estanco)

¿Hay un estanco por aquí?

(f) (cabina de teléfono)

¿Hay una cabina de teléfonos* por aquí?

* Note that the singular *teléfono* and the plural *teléfonos* are both regularly used in this expression.

Pista 51

Listen to the following radio adverts for hotels in Barcelona. Pay particular attention to where they are.

Escuche los anuncios de hoteles en Barcelona.

(a) Hotel Duques de Bergara. ¡Un hotel con clase!

Situado en el corazón de Barcelona, a pocos metros de la Plaza Catalunya. El hotel Duques de Bergara es un edificio modernista de gran calidad.

Hotel Duques de Bergara, calle Bergara, número 11, Barcelona.

(b) ¿Un hotel antiguo y con encanto?

El hotel Oriente, situado en pleno centro, en las famosas Ramblas de Barcelona. Un hotel de toda la vida.

El hotel Oriente le espera en la calle Ramblas, número 45–47, Barcelona.

(c) Elegancia del *art deco* y diseño de actualidad. ¡Hotel Rívoli!

A dos pasos de la Plaza Catalunya. Un buen hotel para el ocio, ¡y el negocio! Hotel Rívoli, La Rambla, 128, Barcelona.

Pista 52

Use the following information to give the location of the hotel.

Escuche y diga dónde está el hotel.

Ejemplo

(en el corazón de Barcelona)

El hotel está en el corazón de Barcelona.

Ahora usted:

(a) (en pleno centro)

El hotel está en pleno centro.

(b) (a pocos metros de la Plaza Catalunya)

El hotel está a pocos metros de la Plaza Catalunya.

(c) (a dos pasos de la Plaza Catalunya)

El hotel está a dos pasos de la Plaza Catalunya.

(d) (a diez metros de las Ramblas)

El hotel está a diez metros de las Ramblas.

Pista 53

Listen to these directions for the Hotel Casa Granda in Santiago de Cuba. Follow the prompts to say whereabouts it is.

Escuche y diga dónde está el hotel.

Ejemplo

(next to the cathedral)

Está al lado de la catedral.

Ahora usted:

(a) (next to the Town Hall)

Está al lado del Ayuntamiento.

(b) (opposite the square)

Está enfrente de la plaza.

(c) (two steps from the museum)

Está a dos pasos del museo.

(d) (right in the centre)

Está en pleno centro.

(e) (ten minutes from the beach)

Está a diez minutos de la playa.

(f) (behind the Casa de la Trova)

Está detrás de la Casa de la Trova.

(g) (in the centre of Santiago)

Está en el centro de Santiago.

Pista 54

Here is a group of friends singing in the Café del Juglar. The song is called *¿Dónde están las llaves?*

Escuche la canción ¿Dónde están las llaves?

> Yo tengo un castillo,
> matarile-rile-rile,
> yo tengo un castillo,
> matarile-rile-rón,
> chin-pón.
>
> ¿Dónde están las llaves?
> matarile-rile-rile,
> ¿dónde están las llaves?
> matarile-rile-rón,
> chin-pón.
>
> En el fondo del mar,
> matarile-rile-rile,
> en el fondo del mar,
> matarile-rile-rón,
> chin-pón.

Pista 55

DOCUMENTAL 2
La Ciudad de las Artes y las Ciencias

It's time for another edition of our documentary series En portada. *Now you are going to find out about one of the most innovative tourist attractions on the Mediterranean coast.*

Bienvenidos a una nueva edición de... *En portada.*

Hoy vamos a la Ciudad de las Artes y las Ciencias, en Valencia, una de las atracciones turísticas más visitadas de la costa mediterránea española.

El museo, o la Ciudad de las Artes y las Ciencias, está en las afueras de Valencia. Esta un poco lejos del centro, a unos 45 minutos.

Y, ¿qué hay en la Ciudad de las Artes y las Ciencias? Hay principalmente dos zonas: una dedicada a las ciencias y otra dedicada a las artes. En la primera están el Museo de las Ciencias y el Parque Oceanográfico. Pues, vamos al Museo de las Ciencias para hablar con Ester Borrás, que trabaja en el museo: es una empleada del museo.

Entrevistadora Hola, ¿cómo te llamas?

Ester Me llamo Ester Borrás.

Entrevistadora ¿Qué haces aquí?

Ester Soy una de las empleadas del museo.

Entrevistadora Y, ¿qué hay en el museo?

Ester En el museo hay exposiciones, hay deportes, hay un espacio para niños.

Entrevistadora ¿Cómo es el museo?

Ester El museo es interactivo, es moderno, y es divertido.

Entrevistadora ¿Quién es el arquitecto?

Ester El arquitecto es Santiago Calatrava.

El Museo de las Ciencias es un centro de educación, diversión e investigación de ciencia y tecnología. Así, en el museo hay exposiciones sobre temas científicos, hay deportes, un espacio para los niños: es un museo interactivo y dinámico. Es enorme, gigantesco. Es muy alto, mide unos 40 metros de altura. El diseño es como el esqueleto de un dinosaurio. Y, ¿qué piensan los valencianos del Museo de las Ciencias?

> El Museo de las Ciencias es de una construcción moderna y por dentro un atractivo fantástico.
>
> Pues el Museo de [las] Ciencias es un museo muy bonito, muy grande, muy amplio y con mucha luz.

Es nuevo, bonito, con mucha luz. En la zona dedicada a las artes está el Palacio de las Artes, con tres auditorios para representaciones musicales y teatrales. Y el Hemisferio [Hemisférico], una construcción en forma de elipse, como un ojo. Dentro hay un planetario y un cine gigantesco IMAX.

La Ciudad de las Artes y las Ciencias condensa y simboliza la creatividad y energía de Valencia.

Pista 56

You are a guest at the Hotel Francisco Aguirre in La Serena, Chile. You ask the receptionist for directions around the city. Listen to what she says.

Escuche las indicaciones desde el hotel.

(a) – ¿Para ir a la catedral? ¡Cómo no! Siga todo recto por esta calle, la calle Córdovez, tome la segunda a la izquierda, y la catedral está ahí, en la Plaza Diego de Almagro.

(b) – ¿La Iglesia de Santo Domingo? Bueno, claro, es esta iglesia, enfrente del hotel.

(c) – ¿El Parque Pedro de Valdivia? Sí, claro, es este parque tan grande, entre la avenida Pedro Pérez Muñoz y la avenida Juan Bohón. Aquí mismo, a dos pasos.

(d) – ¿El hospital? Sí, pero, ¿está bien?

 – Sí, estoy bien, estoy muy bien.

 – El hospital, bueno, siga por esta calle Córdovez, tome la tercera a la derecha, siga recto por la calle Balmaceda. El hospital está a unos cinco minutos. Está al lado de la capilla San Juan de Dios.
 Pero oiga, ¿qué le pasa? Oiga, ¡socorro! ¡Ambulancia! ¡Una ambulancia…!

Pista 57

These are all the phrases that appear in *Español de bolsillo.*

Y ahora escuche el Español de bolsillo.

¡Qué bonito!

¡Qué lindo!

¡Es precioso!

¡Es muy moderno!

Pista 58

¿Cómo es la torre del Miguelete?

Es muy alta.

Es muy antigua.

¿Dónde está el Miguelete?

Está en Valencia.

Está en el centro.

Pista 59

Está al lado del Ayuntamiento.

Está enfrente de las tiendas.

Está cerca del Mercado Central.

Está lejos de aquí.

Pista 60

¿Adónde vas?

Voy a la oficina.

Voy al cine.

Salgo a dar una vuelta.

Pista 61

¿Dónde está la monitora?

No sé.

¿Está en el gimnasio?

¿Sabes dónde está el gimnasio?

Sí, está en el primer piso.

Pista 62

¿Dónde hay un banco por aquí?

Tome la primera a la derecha.

Siga todo recto.

Tome la tercera a la izquierda.

Oiga, ¿para cambiar dinero?

La primera ventanilla.

Pista 63

¿Dónde está el hotel Oriente?

A dos pasos del Teatro Liceo.

A cien metros de la Plaza Catalunya.

A cinco minutos del puerto.

(Este es el final del Compacto de actividades 1.)

Acknowledgements

Grateful acknowledgement is made to the following sources for permission to reproduce material within this book:

Photographs

Pages 8 and 35: Courtesy of Michael Britton; *page 9 (bottom)*: Courtesy of Liliana Torero de Clements; *pages 14, 16, 29, 73 (c) and 90*: Courtesy of Cristina Ros i Solé; *page 20*: Courtesy of Inma Álvarez Puente; *page 21*: Courtesy of Grace Wang Yue; *page 24 (top)*: © Corbis; *(bottom)*: © Ed Kashi/Corbis; *page 34*: Francisco Tagini, courtesy of Corporación de Promoción Turística de Chile, Santiago de Chile, from CD *Chile en imágenes*, also www.visitchile.org; *page 36 (left)*: Tony Morrison/South American Pictures; *(right):* Courtesy of ProChile; *page 39*: Chris Sharp/South American Pictures; *page 40 (left)*: Courtesy of Philip Opher (from 'Recent Architecture in Mexico City'); *(right)*: Courtesy of www.palaciocousino.co.cl; *page 43*: Courtesy of Manuel Frutos Pérez; *page 67*: Barbara Scrivener; *page 70*: Courtesy of Tita Beaven; *page 75*: (b) Courtesy of Turespaña, *(d)* Chris Sharp/South American Pictures, *(e)* Tony Morrison/South American Pictures; *page 85 (a)*: Gabriela Larson Briceño; *page 104 (left)*: Courtesy of Hotel Santa Isabel, La Habana Vieja, Cuba; *page 116*: © Corbis.

Cartoons

Pages 11, 49, 92 and 109 by Roger Zanni; *page 18*: Tornado Films/Quino.

Other illustrations

Page 117: Adapted from *Footprint Chile Handbook*, 3rd edition. © Footprint Handbooks.

Cover photo by Mike Levers, taken at Williams & Humbert Sherry Bodega, Jerez de la Frontera, Spain.

Every effort has been made to contact copyright owners. If any have been inadvertently overlooked, the publishers will be pleased to make the necessary arrangements at the first opportunity.

A guide to Spanish instructions

Busque	*Look for*
Cambie (al plural)	*Change (to the plural)*
Coloque	*Place*
Complete (la tabla / el diálogo)	*Complete (the table / the dialogue)*
Compruebe	*Check*
Construya frases	*Make sentences*
Conteste las siguientes preguntas	*Answer the following questions*
Corrija las faltas	*Correct the mistakes*
Dé ejemplos	*Give examples*
Describa	*Describe*
Enlace las columnas	*Match up the two columns*
Escoja la opcion correcta	*Choose the correct option*
Escriba (en inglés / en español)	*Write (in English / in Spanish)*
Escuche (el extracto)	*Listen to (the extract)*
Grábese en su cinta	*Record yourself on your tape*
Lea (el texto)	*Read (the text)*
Marque con una cruz	*Put a cross (= tick)*
Mire (el mapa)	*Look at (the map)*
Ordene (las palabras)	*Put (the words) in order*
Participe	*Take part*
Ponga (las frases) en orden	*Put (the sentences) in order*
Pregunte	*Ask*
Rellene los espacios	*Fill (in) the gaps*
Repita (otra vez)	*Repeat (again)*
Responda a	*Reply to, respond to, answer*
Siga las instrucciones	*Follow the instructions*
Subraye	*Underline*
Tache	*Cross out / Cross off*
Traduzca (al inglés)	*Translate (into English)*
¿Verdadero o falso?	*True or false?*